琴傳人生

# 奮起飛揚在人間

慧傳法師——著

# 目次

## 推薦序

# 一紀年的祝福

得知弟子慧傳法師將我從二〇〇九年起，以歲次生肖為主題所寫的春聯內容，每年在佛光山南台別院「安樂富有」系列講座進行講說，十二年不間斷。這樣的持續力實在不容易。現在佛光文化的滿觀法師提議結集出版，所謂「諸供養中，法供養最」，我非常歡喜並且樂見。

說起題寫「新春賀詞」，這是緣起一九九六年，有一位信徒希望我在新的一年送他一幅祝福的話作為勉勵，我抱著給人歡喜的心情，就寫了「平安吉祥」四個字。身邊的

徒眾看到了，希望我允許印行可以跟更多人結緣，我也從善如流隨緣隨喜。沒想到隔不久，聽負責的職事說印了二十萬份的春聯一下子就被索取一空了。感謝大家不嫌棄我的字，自此每到春節之前，我都會虔誠地寫下一句新春賀詞贈予有緣人。

這不禁讓我想起，早期在叢林參學時期，每年春節將至，我都會代表常住出去「化冬」，為方圓幾十里的信徒發送平安符，講一些吉祥話祝福，信徒也會回以一碗米供養寺院，成就一段「施受平等」的美好因緣。

到了現在，雖然已經不用出去「化冬」，但想到平時信徒遊客到寺院來，也不一定逢到講經說法；到了大雄寶殿禮佛，佛祖沒有跟他講話，也不一定遇到出家人為他說法，為了不要讓他們有「入寶山空手而歸」的遺憾，所以我在佛光山大佛城、佛陀紀念館金佛殿設有大佛法語，希望讓來訪的人都能有一首法語帶回去，或在生活中有一點啟發。春聯賀詞也是一樣，有緣的朋友來了，在佛光山或在各別分院，看到了，都可以帶回去，作為這一年奮起向前的動力，這也是我衷心的祝福。

說到慧傳法師，不能不談我與他們一家深厚的緣分。一九五二年我到宜蘭雷音寺駐錫弘法，在台灣展開弘法事業，就是緣起慧傳的外祖父李決和居士等人的邀請。李居士在宜蘭當地很有名望，為人誠懇善良，很受人尊重，我到雷音寺後，他為了表示對我的護持，就做了我宜蘭念佛會的總務主任。三十年如一日，一文不取、一飯不吃，只要是為佛教，他都捨身捨命的護持。對家中的子女也都鼓勵他們或學佛或出家，後來女兒慈莊，孫子慧龍、慧傳都在他的感召之下跟隨我出家，李居士晚年也發心出家，法名「慧和」。這在我千餘名出家弟子當中，甚至在佛教史上，三代同堂一起出家修道，奉獻三寶，服務大眾，可謂殊勝稀有，相當難得。

慧傳畢業於屏東農專（屏東科技大學），性格溫和而樂觀。他靈巧能幹，充滿熱力，也長於主持活動、樂於講說，有時集眾，時而高歌一曲，總讓與會者留下深刻印象。他在常住裡多方歷練，擔任過普門中學校長、西來寺住持，也是國際佛光會青年團總團長，承擔佛光山副住持兼都監院院長，統領佛光山海內外二百餘所別分院的法務和行政，為常住、為佛教奉獻良多。

現在，他這本《奮起飛揚在人間》新書出版在即，相信透過他的熱忱說法，一定能為大眾帶來正能量的鼓舞，我也期勉他為了佛教，奮起飛揚，為推動人間佛教努力。是為序。

二〇二一年九月
於佛光山開山寮
星雲

推薦序

# 各界推薦

## 心保和尚——佛光山住持

以星雲大師每年為大眾書寫的新春賀詞為演講題目，並將十二年的演講稿一篇一篇地完成文字記載，成就了《奮起飛揚在人間》這一本書的出版，可以說是將大師的慈悲與智慧，除了更深刻的仔細描述外，並將大師內心底層的慈心悲願，重新再展現於大家的眼前，讓大家更了解佛法的普及性、與人間的相關性，從中光顯出人間佛教的實在本質。

慧傳法師從小就跟隨大師學習，後來更出家學道，不但為常住勞心勞力，且一師一道，不忘初心，實在難能可貴。十二年的演講，可說是與大師的接心，同時也是對佛法體證的闡述。

感謝慧傳法師的不吝，不捨眾生，雨潤布施。短短的幾行字，希望開啟大家開卷閱讀之意願。

## 慧龍法師——佛光山清德寺住持

慧傳法師是我俗家「胞弟」，他平日都稱呼我「龍兄」。近日接獲《奮起飛揚在人間》之初稿及自序電子檔，才知道慧傳應佛光文化社長滿觀法師邀請，要將十二年來依據佛光山開山星雲大師新年賀詞演繹人生哲理的演講內容整理出書。

我拜讀完初稿，不免讚歎慧傳「用心至深」，以佛理深入淺出闡揚星雲大師新春賀詞勵志的意涵。

全書篇篇精采，書中引用古今中外名人軼事及真實事蹟，畫龍點睛，引人入勝，猶如欣賞一齣「絕無冷場」的電影。讀者可從本書擷取星雲大師的宗教智慧與人生哲學的精華。

《奮起飛揚在人間》是一本適合不同宗教領域、不同年齡層閱讀的好書。謹立此序推薦。

## 高希均——遠見．天下文化事業群創辦人

星雲大師常說：「不要看我的字，要看我的心。」話語中總是充滿智慧的大師，希望大家讀他所寫的「一筆字」，不僅看到書法的美感，更要能直接感受他筆下的心意。

慧傳法師自小親近星雲大師，他在美國西來寺出家，擔任過西來寺住持，由他來詮釋大師一筆字的「心」：有古今歷史文化的故事，有中外企業經營的道理，有人間佛教的善美，有生命無常的豁達。

十九萬字的精實著作，真正把一筆字的心意，一筆接一筆如源頭活水不斷；一頁又一頁的創見常轉不息，帶給讀者欲罷不能的閱讀體驗。

我們要向慧傳法師道賀，他善盡了弟子的責任，使普天之下仰慕大師的人更體會他的心意。

**楊朝祥——佛光山教團系統大學總校長**

頃接慧傳法師邀請為其大作寫序，此書作係以星雲大師十二年來新春賀詞為闡述重點，當下即感覺這是一本意義非凡之作。當我展讀書中內容，見到第一篇「生耕致富」，說文解字、引經據典、旁徵博引，即被這娓娓道來的敘事所深深吸引，心中感到莫名讚歎。慧傳法師以此為架構，逐步開展了歷年大師所贈賀詞的深刻寓意，實為「巧智慧心」，一個個「曲直向前」的故事人物，交貫古今、橫亙中西，刻鏤一篇篇「名聲天曉」的傳奇，不僅為星雲大師慈悲濟世的智慧做了極佳演繹，亦為立身處世準則汲取了經典的養分，著實令人敬佩，期望本書付梓出版，能發揮其深遠影響力，讓人間佛教的真諦，生生不息，歷久彌新。

**陳肇隆——高雄長庚紀念醫院名譽院長**

星雲大師每年的新春賀詞，是全球佛光山道場的至寶，也是社會大眾每年張掛在自家門廳的春聯。我時時凝視大師的賀詞，細細咀嚼其中的意涵，切身感受大師的睿智。大師推行人間佛教，落實佛教現代化，用生活化的語彙，改革了宗教、社會，也改善了人心。

佛光山常務副住持慧傳法師十二年來以大師的新春賀詞為題，配合當時世局、結合大師的語意為大眾開示演講，深入淺出的內容讓我們更深入感悟、體會大師的慈悲智慧。

慧傳法師再將這些年的賀詞演講結集成書，每年的賀詞結合佛法、生肖、時事等，都是底蘊深厚的智慧明燈，非常值得品閱、典藏。

**趙元修——華美化學公司董事長(Chairman, Westlake Chemical Corporation)**

中華民族的文化博大精深，和生活最貼切而離不開的，尤屬用來計數、計月、計時的十二生肖和天干地支了。星雲大師心繫眾生，自一九九六年始，每年新春都用智慧的賀詞，送愛到人間，為大眾祝福。

非常高興知道慧傳法師著作的這本《奮起飛揚在人間》即將出版，書中他容括了大師過去十二年對每一個生肖的智慧語，並用心的引述許多溫馨實用的小故事，深入淺出的導讀細述，實為難能可貴。僅此祝願每一位讀者閱讀之後，身心自在，福慧俱增。

## 劉俊鵬——高雄榮民總醫院前院長

第一次看到大師的新春賀詞是在台北朋友家，因為知悉好友是虔誠基督教徒，心中不覺一怔。朋友解惑說：圖個歡喜心安，反正人間佛教也不忌諱。同年我調到高雄任職，經由戰淑芬老師的介紹，從此跟佛光山結緣。爾後不僅我年年拿到大師精緻的新春賀詞，連帶我周圍的親朋好友，每年都引頸期盼。剛開始只覺得大師隨筆一寫都是充滿智慧的好詞，卻不曾深究其中的含義。直至拜讀了慧傳法師大作後，才意會到大師每年的「隨筆」包含了多少的智慧、慈悲與文化的底蘊，因應了時事，展望了未來，對於古今中外一任圓融。才疏學淺的我在此時受邀寫序，既慚愧又感恩，實是給我自省的機會，重新體會大師普愛世人的深意。而書名《奮起飛揚在人間》正是眾生在佛光法水的滋潤下，心情的最佳寫照。

**趙怡——國際佛光會中華總會總會長**

一口氣拜讀完慧傳法師的新作《奮起飛揚在人間》，內心的歡喜與欽敬難以言表。作者把星雲大師首創而在普世廣傳的賀年偈句，化為淺白易懂的口述篇章。全書節奏輕快，文辭流暢，在每一則寓意深遠的嘉言中，俱見大師莊嚴慈悲的音容身影。

慧傳院長本以語言便給、才智過人、識見通達聞名於眾，他大幅引用中外古今的典章逸事、史實例證，信手拈來無不引人入勝。本書兼具弘揚佛法、光大師承、教化社會與傳承文化的多項功德，不啻為一本人間勵志的寶典，疫情當下，讀來備感沁涼雋永，再三咀嚼，更覺深入心靈深處。

**林聰明——南華大學校長**

星雲大師的春節賀詞春聯結緣活動二十餘年來已成盛事，且為佛光人及社會大眾期盼的美事，雋永睿智法語蘊含了大師殷殷鼓勵積極奮鬥的人生觀，確能發揮「師度自度」

的效益。

慧傳法師參與弘揚人間佛教工作數十年，對佛法、生命意義、社會現勢的體悟精到，藉由專題演講闡釋春節賀詞更深入的意涵，法師為不二人選。全方位引領、精闢分析的各場演講佳評如湧、回響廣大，藉此因緣，讓大家對賀詞有更體切的領悟、更振奮的感動，促成大師對大眾的祝福、鼓勵初衷，化成趨勢力量，風行草偃，教化人心。

欣喜於慧傳法師將歷年闡釋、演繹大師春節賀詞的專題演講內容集結成冊、分享大眾，讓大師的慈悲智慧廣披五洲、流諸四海，為成就「佛光普照三千界，法水長流五大洲」燦爛輝煌法業添助力。謹贅數語為序、為賀。

## 周澄——台灣山水藝術學會名譽會長

慧傳法師自幼與佛有緣，家族與星雲大師更是有極為深厚的因緣。慧傳法師打從幼兒時期便就讀星雲大師所創辦的宜蘭慈愛幼稚園，大學畢業、服過兵役後，進入佛光山中國佛教研究院就讀，並且在一九八八年跟隨星雲大師出家，三十多年的僧侶生涯中，擔任過佛光山許多重要工作，如今擔任佛光山常務副住持、都監院院長及多種職務。不論是在哪個職務，他都努力在弘揚佛法、服務眾生，完成大師人間佛教理念。

慈悲的星雲大師每到春節前，都會寫下一句新春賀詞，贈予有緣的人，以表達新年的祝福。然而每年慧傳法師都會仔細鑽研星雲大師的新春賀詞，以演講方式將大師的精髓宣導出來。此次慧傳法師把十二年的演講稿整理成冊、付梓出版，以廣為大眾的理解，讀完內容之後，更可感受到星雲大師人間佛教之淵博似海，令人感佩。乃以此序，略表心意。

**陳居——美國加州執業會計師、國際佛光會世界總會財務長**

慧傳法師在西來寺擔任住持的時候，我是佛光會洛杉磯協會的會長，所以跟他接觸、受教於他的機會很多。深深體會到他是一位很務實的人間佛教弘法者。

慧傳法師的《奮起飛揚在人間》發揚星雲大師新春賀詞的意涵，配合當年的世局，提供大家最實在的解決辦法。我很踏實地讀完十二篇文章，內容非常充實、受益良多。

文章內舉出非常多實例來闡釋佛法。比如說，在龍天護佑篇談如何成為他人生命中的貴人，自己精進不懈，才能自我成就，進而幫助他人。慧傳法師鼓勵我們要每天過著1.1的精進生活。因為1×1，乘以十次，答案還是1，你還是一成不變的生活。如果每天精進一點、多做一點好事、多拜一點佛，1.1×1.1相乘十次，答案是2.85。日積月累，成就可觀。反之，如果每天懈怠一點、多說一句壞話，0.9×0.9一樣乘以十次。答案是0.31。代表你的人生越來越墮落。能夠不慎重嗎？

預祝您能從慧傳法師的眾多妙法中，獲得法喜！

慧傳仁者

慧心傳道

二〇〇九年六月佛光山

星雲

# 作者簡介

慧傳法師，台灣宜蘭人。自幼生長於佛化家庭，外祖父、阿姨、兄長皆披剃於星雲大師座下，耳濡目染之餘，一九八八年亦追隨大師剃度出家，同年受具足戒。一家三代四人出家，成為美談。

出家以來，事必躬親，親力親為。以佛光山的四大宗旨「以文化弘揚佛法，以教育培養人才，以慈善福利社會，以共修淨化人心」為弘法度眾的圭臬，巡迴弘法講演於世界各地，熱心慈善救濟事業，對社教公益的推展不遺餘力。二〇一〇、二〇一五年榮獲教育部社教公益獎殊榮。

現任佛光山常務副住持、宗務委員、都監院院長（總當家）、國際佛教促進會會長、國際佛光會世界總會暨中華總會理事、國際佛光會佛光青年團總團部執行長、普門高級中學董事長、人間福報發行人、三好體育協會副會長等職。

歷任佛光山台北男眾佛學院副院長、北海道場住持、西來寺住持、國際佛光會世界總會祕書長、佛光山美洲諮議委員等。

## 自序
# 新春賀詞的深意

籌備半年有餘，終於將十二年的演講稿一篇一篇地完成，心裡也踏實多了。這一本書得以出版，要感謝家師星雲大師，如果沒有大師每年寫新春賀詞祝福所有的大眾，今天這一本書也不會付梓，為何會如此說呢？

一九九六年大師寫了「平安吉祥」的新春賀詞，且印製成春聯和大眾結緣，弟子及信眾都非常高興，因為這是大師對大家的新年祝福，也是我們一年的重要行事方針，同時也可以拿春聯和社會大眾結緣。

◆ 大師歷年春聯墨寶受到大家喜愛

隔年，大師寫了「祥和歡喜」，之後每年依序又寫了「圓滿自在」、「安樂富有」、「千喜萬福」、「世紀生春」、「善緣好運」、「妙心吉祥」、「身心自在」、「共生吉祥」、「春來福到」、「諸事圓滿」等新春賀詞。

## 一、深受大眾喜愛的春聯

有了大師的新春賀詞，佛光山全球道場如獲至寶，因為無論是舉辦活動、演講，或是製作結緣品、文宣品，都有一個很明確的主題可以宣傳，甚至於各種書信的結尾問候語，或是各種場合的相互致意，也會使用新春賀詞。

不但各地道場熱烈響應，信徒更是將春聯張掛在自己家門口、公司的明顯處，同時也與親友結緣，有些民意代表還當作選民服務的饋贈品，因而春聯每年都是百萬份以上的印製結緣，可知大師的新春賀詞非常受到大家喜愛。

就當大家興高采烈、如火如荼地推廣的時候，我突然覺得應該還要為春聯多做一點什麼事情。想著大師的春聯受到這麼多人的喜歡，背後一定有更深的意涵，因此，如何用心研究大師的睿智法語，且將其中真義表達出來讓大眾認識了解，是接下來的功課。並非只有今年大力的倡導、到處分發結緣，而當來年新的春聯出現，就忘記大師曾經說過的新春賀詞內容。或是，天天看著春聯、結緣品上面的新春賀詞，卻不知道背後的意義，那就枉費了大師天天為我們說法，不是太可惜了嗎？

## 二、新春賀詞背後的深意

二〇〇八年（鼠年），大師寫了兩幅春聯「子德芬芳」和「眾緣和諧」為大眾祝福，並於《人間福報．人間萬事》專文闡述其中內涵。同時也在當年的〈新春告白〉（致護法朋友們的一封信）表達了自己的期許：「戊子年元旦，衷心祝禱人人開發本性所具的『子德芬芳』，各個國家能不分地域、種族、膚色，邁向『眾緣和諧』，攜手共創同體共生的人間淨土！」是啊！這不就是大師要告訴大家的深意嗎？不但可以做為今年的奮鬥方向，來年一樣可以是我們人生的座右銘。有了大師這樣的解釋，就更容易向大眾說明了。

二〇〇九年（牛年），大師寫的新春賀詞是「生耕致富」。為何不是一般人習慣寫的「深耕」呢？

「深耕」是指一塊田地要播種、插秧，必須先犁田，不但可以鬆土，且可以將上下土壤混合在一起，增加土壤的空氣含量及保水力，提高作物養分、水分的吸收，防止雜草滋生。

「生耕」又是什麼意義呢？大師如此說明：「『生』包含生命、生活、生意、生機，『耕』是耕耘。『生耕』是指在生活中用心耕耘、勤奮努力，耕耘生活也是耕耘心靈，必能獲得外財與內財的豐收富足、圓滿富貴。」

大師這一番開示，更彰顯了「生耕」的意涵，此精闢的見解已經不限定在農業，而是擴大到我們的生命、生活、生存了。

當時我很好奇，大師為何有這個智慧，寫出如此深遠有意義的法語？二〇〇八年九月，美國「次貸危機」（Subprime mortgage crisis）引發全世界的金融風暴，導致許多國家破產，國際性的大公司倒閉。為何呢？因為有太多投機取巧、太多的貪婪在裡面。處理這種危機，大師的「生耕致富」不就是一盞智慧明燈，是對治此次金融風暴的最佳良藥嗎？

## 三、講稿結集成書的因緣

二〇〇七年四月一日，佛光山南台別院開光落成，接著每年舉辦「安樂富有」系列講座，我有幸成為其中一員講師。二〇〇九年，住持覺元法師再次邀請我前往演講，當時大師已為「生耕致富」下了定義，又針對世界性的金融風暴提出因應良方，心中有所感悟，乃不揣淺陋定下「生耕致富，經濟風暴下的成功之道」這個演講題目，圓滿多年來希望闡述大師新春賀詞的心願。

承蒙南台別院歷任住持妙勤、滿舟法師不嫌棄，仍繼續邀請我前往演講，就這樣我從二〇〇九年牛年一直講到二〇二〇年鼠年。其中二〇一八年狗年及二〇一九年豬年，因為南台別院以座談模式，邀請各界社會大德和法師們對談，我這兩年就沒有針對新春賀詞準備演講稿。到了二〇二〇年鼠年，南台別院沒有設定題目及方向，因而我再次以當年新春賀詞「行道天下．福滿人間」作為演講題目。

直到去年（二〇二〇年）下半年，佛光文化社長滿觀法師，提議我能將十二年的演講稿整理出來，編輯成一本書。乍聽此事有點惶恐，也不敢馬上答應，只說是否可以拿其他文章代替，但社長仍希望出版對新春賀詞的看法。我只得請助理慧裴法師幫忙，蒐羅這些年的錄音檔案紀錄，然後整理成文章。另外，我也重新撰寫「忠義傳家」、「諸事吉祥」這兩篇文章，好不容易完成了十二年「一輪」的文稿。

## 四、處理文稿的體會

在整理十二年來的文稿，我細細地研究大師新春賀詞，以及定義說明背後的意涵。為何牛年是「生耕致富」、虎年是「威德福海」、兔年是「巧智慧心」、龍年是「龍天護佑」、蛇年是「曲直向前．福慧雙全」、馬年是「駿程萬里」、羊年是「三陽和諧」、猴年是「聰敏靈巧」、雞年是「名聲天曉」、狗年是「忠義傳家」、豬年是「諸事吉祥」呢？而到了二〇二〇年，又是新一輪鼠年的開始，提出「行道天下．福滿人間」。越深入了解，越覺得大師的智慧真是不可思議，茲將幾點淺見羅列出來：

1. 大師每年的新春賀詞，雖然沒有提到生肖，但我們從字義上可以知道是哪一個生肖年。

2. 大師的新春賀詞符合時勢需要，由於幾年來社會環境惡劣、經濟凋敝，大師的法語充滿了鼓勵向上、積極奮鬥的人生觀。

3. 大師的佛學、文學底蘊深厚，只看表面文字，無法了解背後的深意，如「巧智」和「慧心」是有差別的；「三陽和諧」比「三陽開泰」的意義更豐富；「諸事吉祥」，在甲骨文的「豬」通「諸」，表示眾多，所以大師說：「豬去『豕』加『言』為諸，豬者圓滿，諸者多也，寓意著這一年，圓滿如意、諸事吉祥。」這些對我來說，幫助很大，因為讓我重新認識佛法的真義，也了解文字的奧妙，對於詩詞歌賦有了更多的認識。

4.由於每年必須要講說不同的題目，大師的新春賀詞已經提供了演講的方向。但一場演講或是一篇文章，要能夠吸引人，和訂定標題是有關係的。有了大師新春賀詞的開示，接下來只要認真研究新春賀詞的意涵，了解當時的世局，還有大眾的需要，就容易擬定題目了：

生耕致富，經濟風暴下的成功之道

威德福海，乘風破浪的人生觀

巧智慧心，談蘇東坡也無風雨也無晴的一生

龍天護佑，如何成為他人生命中的貴人

曲直向前，如何獲得幸福與安樂
駿程萬里，開發本具的潛能及佛性
三陽和諧，春來福到
聰敏靈巧，帶來人間歡喜
名聲天曉，奮起飛揚的人生路
忠義傳家，談人生的堅持
諸事吉祥，如何獲得圓滿如意的人生
行道天下，如何福滿人間

最後，要再次感謝大師的慈悲，每一年書寫的新春賀詞，讓我訂定出演講題目；也要感謝大師發表那麼多睿智文章、感人故事，讓我在尋找資料的時候有了參考依據，可以引用到演講及文章裡，而得以完成此書。

另外，我要感謝南台別院歷任住持的邀約演講，讓我可以持續不斷的以大師新春賀詞作為演講題目。也要感謝鼓勵我出書的佛光文化社長滿觀法師，因為有了出書的目標和日期，讓我不斷地利用零碎時間整理文稿，有時候甚至夢到如何讓文氣可以相通，真是令人快哉！

在此，還要感謝我的助理慧裴法師，先將演講內容記錄整理成文章，讓我節省了很多時間；感謝責編如道法師細心耐煩的校稿。

總之，出版此書的目的，希望大家興高采烈地在張貼、推廣春聯之餘，或是贈送書寫有大師新春賀詞的結緣品時，還要將大師的慈悲智慧分享出去，不但我們自己能夠牢記在心，躬行踐履，也讓他人得到法益，如此才不辜負大師每年苦心寫下的新春賀詞。

生耕致富

二〇〇九己丑年吉慶

星雲 八三

Earnest cultivation yields fruitful harvests

佛光山宗委會．國際佛光會 敬贈

## 生耕致富

耕耘生活也耕耘心靈，必能外財、內財皆豐收富足、圓滿富貴。

「生」包含生命、生活、生意、生機，
「耕」就是要播種、要結緣、要工作。
在生活中用心耕耘、勤奮努力，
人人都能致富。

# 生耕致富，經濟風暴下的成功之道

## 前言

這是我第一次嘗試以佛光山開山星雲大師新春賀詞為主軸，揣摩其內容含義，擬定的演講主題。為什麼有這個因緣，已經在「自序」裡面提過，這裡就不再贅述。二〇〇九年大師的賀詞是「生耕致富」，於是定了這個題目：「生耕致富，經濟風暴下的成功之道」，為何要這麼說呢？這是有它的背景原因。

## （一）美國次貸危機的影響

二〇〇八年九月，美國「次貸危機」（Subprime mortgage crisis）所引發的金融風暴，如骨牌效應導致全世界的金融危機。而它引發了哪些可怕的惡果呢？美國「雷曼兄弟控股公司」（Lehman Brothers Holdings Inc）聲請破產，保險業的巨頭「美國國際集團」（American International Group，AIG）、世界最大的證券零售商和投資銀行之一的「美林證券」也爆發財務危機。還有美國大小銀行五十多家倒閉，通用、福特、克萊斯勒等三大車廠要靠美國政府紓困才有辦法維繫下去。

不只美國本身非常悽慘，遠在海外的一些國家也是灰頭土臉。如冰島這個國家瀕臨破產，三大銀行被政府接管，一些經濟體脆弱的東歐國家，亦面臨破產危機。本來一桶石油高達一百五十美元以上，隔不了多久只剩下三十多美元。微軟、Google、台塑、台積電在裁員，甚至許多科技大廠也在放無薪假，這些都是當時大家耳熟能詳、怵目驚心的新聞，因為你我都受到波及了。

前美國國家情報總監丹尼斯．布萊爾，提到此波的金融海嘯對世局的震撼與威脅，可能遠超過恐怖主義與核武擴散。我們似乎很難理解，經濟風暴跟恐怖分子以及核武擴散有什麼關係？布萊爾舉例道：希特勒是在二十年代末、三十年代初，世界經濟大恐慌時期奪取了政權，因而改變了人類的命運。他說不擔心希特勒這樣的暴君出現，但他擔心一些體質較弱的國家，因為金融危機，可能造成社會動盪不安，繼而發生政治動亂，屆時世界將陷入更危險的狀態。可以知道金融風暴已經不是經濟問題，已變成政治問題了。

為何會發生這樣的問題呢？其實是導因於人們的貪婪。就以「信用違約交換」（Credit Default Swap，CDS）來說吧，如向銀行借款，或許這個借款人只能提供五十億美元的抵押品，但竟然可以借貸到五百億美元。銀行當然也憂心會出現壞帳，於是將未來的利息收入也列為收益，再將眾多借款人的信貸打包出售給第三方。

經濟景氣好的時候，借款人按時還貸款當然沒有問題，但是金融風暴發生，借款人違約，即使出售五十億的抵押品也遠遠不能彌補那五百億的損失！更何況這種情況不止一家，當成百上千的借款人都違約了，就造成難以彌補的殘局。因此，這個無底洞到底有多大？危機有多嚴重？真的沒有人能準確預測。

當財務危機爆發以後，這些造成金融風暴的公司領導者，不但不謀求拯救公司，還想方法撈錢，然後拍拍屁股走人。最令人詬病的是AIG的主管拿了政府一千七百億紓困金，卻將一點六五億美元發給高階主管當做紅利，美其名要留住人才，但有些人領了錢就辭職了，因而成為美國的全民公敵。

美國總統歐巴馬講到此事生氣的開嗆，這不單純是金錢問題，是攸關美國的基本價值，此價值從零售業、華爾街到華府都應依循相同的「道德規範」行事。此基本價值不就是重視心靈層次的意思嗎？也就是美國人常說的誠實正直的特性，但他們都忘記了。

所以這次金融風暴，真正的根源在哪裡？就是佛門所說「貪、瞋、痴」煩惱三毒當中的「貪」。因此，真正要解決經濟危機的問題，應該要先從人們的內心著手，而不是只有重視制度的改進。

## （二）生耕致富是最佳解藥

處於這樣恐慌的時刻，世界秩序混亂的時候，星雲大師所題「生耕致富」新春賀詞，是對治這次金融風暴的最佳良藥。大師針對賀詞，做了如下的解釋：「『生』包含生命、生活、生意、生機，『耕』就是耕耘。『生耕』是指在生活中用心耕耘、勤奮努力，耕耘生活也耕耘心靈，必能獲得外財與內財的豐收富足、圓滿富貴。」

有關「生耕致富」賀詞，有人問，為何不是深淺的「深」，為何用生命的「生」？此道理大師在《合掌人生．一筆字的因緣》有提到：「二〇〇九年，我寫了『生耕致富』，一般人都習慣用深淺的『深』，但是我寫的是生命的『生』，因為我覺得，中國字『生』的意思是，生命要生活、要生存，必須要『耕耘』，這才

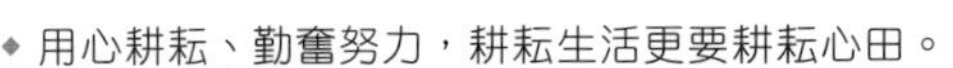
◆ 用心耕耘、勤奮努力，耕耘生活更要耕耘心田。

更有意義。但有的人總是說我寫錯字，我覺得也不必去爭論什麼了。」其實大師的見解是對的，且意義更深厚。

我們從字面來看，「生」是「牛」和「一」構成，表示我們每一個人要像一頭老牯牛，一步一腳印、認真踏實地做事；再看「耕」字，是「耒」和「井」構成，「耒」是一種鋤田翻土的農具，「井」代表田地，表示農夫辛勤在田地上耕作，方能耕出一畝好田。「生耕」二字將所有含義解釋得清清楚楚、明明白白。生命絕對沒有不勞而獲的事，我們應該在日常生活中用心耕耘、勤奮努力，不但耕耘我們的生活，還要耕耘我們的心靈。如此我們的生命一定更加圓滿。

## （三）星雲大師是生耕致富的典範

另外，大師又對賀詞做了如此說明：「因為我們每一個人有生命，生命要活著，第二要生存，我不是今天一天，我還要明天、後天、今年、明年，我要生存，我還要生活，我有了生命、有了生存，我不能不吃飯，不能不穿衣服，不能沒有日用，不能不富有。

你要富有，我的結論就是『生耕致富』。『耕』就是勤勞，『耕』就是要播種，『耕』就是要結緣，『耕』就是工作，你如果要生存、生命、生活，你要工作、要勤勞，你就能致富，所以世間上應該沒有窮人的，世間上每一個人只要肯得生耕，人人都能致富。」

大師這番見解以及實際踐履「生耕致富」，得到各界的推崇、肯定。例如：二〇一六年為慶祝佛光山開山五十週年，佛光山特別於佛光緣美術館總館，設置「星雲大師著作藏書特展」，這是首次以星雲大師著作所策劃的常設展。

展覽內容分為「大師與文學的因緣、如何踏上寫作弘法之路、佛法裡的暢銷作家、看不見的書寫」，讓信眾了解大師如何以文字弘揚佛法，實踐人間佛教的理想，並以文字的力量，為當代佛教弘傳寫下嶄新的一頁。一月三十一日舉行開幕典禮，除了星雲大師出席外，名詩人余光中教授、曾任中央大學圖書館和台灣文學館館長的李瑞騰教授等貴賓亦蒞臨現場。

大師致辭時提到，他沒有上過學，小時候是由不識字的母親教他認字。十二歲出家，曾經在大陸的南京棲霞山、鎮江金山寺、焦山定慧寺、常州天寧寺等寺廟參學，

◆「星雲大師著作藏書特展」一隅，大師一生筆耕不斷。

七十歲以後才開始學寫書法。又說自己「現在眼睛看不到、耳朵聽不到、說話不標準、手腳也不方便，是一個『六根不全』的殘障老人，但每天仍勤練書法，寫一筆字，一天寫一百張以上」，並將義賣的善款，全數捐給「公益信託星雲大師教育基金」，造福社會大眾。

此外，大師用口述的方式持續創作，每天超過五千言。早年台灣生活艱難，許多人在其他宗教捐贈的麵粉、奶粉和衣服之下，改變了信仰。大師自許：「靠教來『呷飯』（吃飯），我不要，我不但不靠教來『呷飯』，我要把飯跟大家結緣。」這是多麼偉大的宣言，多麼崇高的節操啊！

今天佛教得到大家的尊崇，人間佛教受到大家的肯定，正是在大師這樣的發心立願、這樣的辛勤耕耘，所帶來的偉大成果。如今我們看到，大師已經書寫了三千多萬字，出版了三百多本書，翻譯成二十多種語言。不僅創辦了五所大學，還在全世界創辦了十六所佛學院；世界數十所名校頒發給大師榮譽博士及名譽教授逾三十個；創辦多個基金會，以推廣文化教育為目標。

大師是真正的「人間佛教實踐者」，因為「佛光普照三千界，法水長流五大洲」是實際做出來的，不是講出來的，大師「生耕致富」的精神，非常值得我們各位朋友參考學習。

接下來，要和各位讀者共同探討「生耕致富，經濟風暴下的成功之道」，以下提出六點看法。

# 一、勤勞努力

前青輔會主委王昱婷，有一次和企業界討論時下青年的性格，發現少部分青年之所以被認定為草莓族是有原因的。她說台灣不是缺少就業機會，而是許多人不願屈就。她講了一則小故事，有教授推薦優秀的學生去某公司應徵，老闆對學生的各種條件都十分滿意，面試快結束的時候，他問學生有什麼問題要了解的嗎？得到的答案，讓人傻眼。學生問：「如果來上班，是否容許遲到？」

另外，有一位開餐廳的老闆說，他們徵聘服務生，有一位高職剛畢業的女生去應徵，各項條件談妥後，這位女生竟然要求每個星期六要放假，因為她的男朋友週六也放假，要知餐廳真正忙碌的時間，不就是週末嗎？當然被婉拒了。

還有一個年輕人自身條件都不錯，面試時問人事主任，公司有幾個停車位，主任答說只有兩個，一個是董事長、一個是總經理的。年輕人立刻表示，如果沒有停車位，每個月應該多支付四千塊的停車費給他，當然這位青年無法獲得這份工作。

社會上流行這麼一句話：「錢多事少離家近，位高權重責任輕，睡覺睡到自然醒，數錢數到手抽筋。」如果年輕人真的有這種好高騖遠、好逸惡勞的心態，相信他是不會成功的，當經濟風暴來襲，他如何立足呢？

## （一）殺雞取卵的結果

這樣的心態，讓我想到一則民間故事。一個窮困潦倒的丈夫往生了，為了感念妻子生前不離不棄跟著他受凍挨餓，因而跟閻羅王說，希望做牛做馬報答。閻王感念他們夫妻情深，便將他變成一隻金色的鵝。

這位窮丈夫很高興地託夢給妻子說自己變成一隻金鵝，但特別囑咐每天只能拔一根金羽毛變賣。過沒幾天，家裡的母鵝果然生出一隻小金鵝，他的妻子每天就靠著一根金羽毛改善了生活。但妻子仍不滿足，覺得日子雖然過得去，總是不能大富大貴，因而生了歹念，將這隻小金鵝的金毛全部拔光，也不管金鵝的痛苦。說也奇怪，本來黃澄澄的金毛，此時竟然變成雪白的羽毛，這隻小金鵝也一下子長出美麗的羽毛，拍拍翅膀飛走了，只留下一臉黃金夢碎的妻子。

這雖然是一則寓言故事，但背後殺雞取卵的貪婪惡果值得我們深思。如前面所說的AIG將政府的紓困金拿去分紅，為人所不齒。還有雷曼兄弟宣布破產，英國巴克萊銀行（Barclays Bank）準備加以收購，談判過程中，雷曼公司高階主管卻要求享有高額的紅利。他們這種自私自利的舉動，當公司出現危機，他們不但沒有拯救公司，也沒有想到這麼多員工該怎麼辦，而是想盡辦法撈錢，真是「只為自己求享樂，哪管眾生在痛苦」，令人唏噓慨嘆啊！

## （二）你我都有二十甲田地

《人間福報》曾刊登過一篇短文〈二十甲田地〉，內容是這麼敘述：

某一個城鎮，有位賣丸子的吳老闆，鎮上幾乎都是他的老顧客，他有個特殊本領，只要看到哪位太太出現，他就知道應該為她放多少斤的丸子進去她的菜籃裡，加上為人風趣，因而深得大家喜愛。

吳老闆從小父母雙亡，跟著祖父母在菜市場賣丸子，生活艱困，卻常向人炫耀自己有二十甲祖田可以耕種，大家聽了都嗤之以鼻，笑他愛吹牛。但他為人誠實，價錢公道，而且工作認真、熱情招呼，因此人緣很好，顧客越來越多，慢慢有了積蓄、蓋了房子。

看著吳老闆一年比一年發達，有人好奇地問他，你真的有二十甲良田呀？他笑著說：「這二十甲田每個人都有啊！」他拉起袖子，捲起褲管道：「十隻手指、十隻腳趾，不就是父母留給我的祖產，靠著它奮鬥、耕耘，得來的豈止是二十甲田地哪！」

◆ 雙手雙腳就是我們的財富

吳老闆將我們的手腳比喻成二十甲田地，不就是星雲大師「生耕致富」的含義，同時也是對華爾街過度操弄金融槓桿、追逐超額利潤、不事生產只管螢幕上數字的投機客一種棒喝。

## （三）認真負責是成功之道

在美國就讀大學的山姆，家境貧寒，靠打工維生。有一天他接到的個案，是幫一位富翁粉刷房子。他非常高興，因為不但可以繳交一學期的學費，且生活費也有了著落。但富翁非常挑剔，且規定必須按時完成，否則要扣錢，山姆允諾後，就開始認真工作。

在快完工的時候，不巧有一塊漆好的門板倒下，染汙了整片雪白的牆壁。為了讓牆壁顏色保持一致，他重新調製油漆顏色，粉刷整面牆壁。更糟糕的是，隔天油漆風乾後，他發現這一面牆的顏色竟然和其他的不同。處於這樣的窘境，他沒有埋怨或是放任不管，也沒有去思考損失的問題，反而決定重新粉刷。

正當他去買材料回來準備動工時，富翁來詢問進度，山姆如實回答，請求富翁寬延

一些時間。富翁被他的誠懇及認真態度感動，決定給他時間完工，並資助他完成學業，又在他畢業後招聘進入自己公司工作。

山姆後來接手了富翁的公司，短短數年間就發展近千家分店。而他這種認真負責、勤勞努力的態度，也成為公司的企業文化。

有一個星期天的早上，阿肯色州一家連鎖店的藥劑師吉夫，在家接到商店同事打來的電話，說有一名罹患糖尿病的客戶，不小心把在店裡購買的胰島素扔進垃圾處理箱，請他協助處理。吉夫二話不說立刻趕回商店，打開藥房，開立了客戶的處方，並將藥送去給病人。

為何吉夫這麼積極認真？因為他們遵守老闆山姆「今日事今日畢」的工作原則，也就是每個員工都必須在太陽下山前，完成自己當天的任務；而且，如果顧客提出要求，也必須在太陽下山之前滿足顧客的需要。這樣的經營理念，得到廣大客戶的歡迎，事業自然也就蒸蒸日上了。

「天下沒有白吃的午餐」、「一分耕耘一分收穫」，這是千古不變的道理。不論是吳老闆二十甲田地的概念，還是山姆認真負責、勤勞努力的工作態度，相信都是企業成功之道。

## 二、堅持到底

有一位世界級的推銷大師，在告別職場的演說中，吸引了業界幾千名菁英參加。現場許多人問他推銷祕訣時，他都微笑不語，正當大家疑惑之際，全場燈光暗了下來，從會場的一角出現了四名彪形大漢，他們合力抬著一座鐵架，下面垂著一顆大

◆ 一分耕耘，一分收穫。

鐵球，現場的人更是丈二金剛摸不著頭緒。

這時推銷大師走上前去，拿著鐵鎚朝鐵球敲了一下，鐵球沒有動靜，隔了五秒，他又敲了一下，還是沒有動，於是他每隔五秒就敲一下。如此持續不斷地敲，鐵球還是文風不動，此時台下的人開始騷動，陸續有人離開了，他也不以為意，仍是繼續敲鐵球。人越走越多，他也不去理睬他們，一直到只剩下幾百人的時候，奇蹟出現了，大鐵球開始慢慢晃動，並且幅度越來越大，就算你想使它停下來，也不可能了。

接著，這位推銷大師對著這數百人說出他的成功祕訣：「成功就是簡單的事重複去做，以這種持續的毅力，每天進步一點點，當成功來臨的時候，你擋都擋不住。」這位推銷大師的人生哲理，已經告訴我們，成功沒有捷徑，只要堅持到底，終有一天你會成功的。

## （一）金牌推銷員比爾

另外，還有一則身帶殘疾，憑藉自己的努力、不畏異樣眼光，百折不撓、堅持到底，最後成為偉大推銷員的故事，此人叫比爾．波特（Bill Porter）。

他於一九三二年出生，因為母親難產，醫生用鉗子將他拉出來，卻造成腦性麻痺，也傷害了身體的機能，如脊椎不能伸直、右手失去功能永遠放在背後、講話口齒不清，走路像企鵝一樣左右晃動。但母親沒有將他視為殘障孩子，反而以正常孩子的方式對待，就這樣他在母親的鼓勵及肯定之下漸漸成長。

有一天比爾告訴母親，他不想上學了，因為同學們欺負他、取笑他，將他視為怪物、傻子。此時母親含著淚，很慎重地對他說：「孩子，你要記住，你是獨一無二的，你要有廣闊的胸懷，海納百川，將來要像你父親一樣，成為一個金牌銷售員，你要有耐心，你要懂得堅持，你要有堅定不移的信念，你要永遠保持著樂觀的心態！」這些話對他有很大的激勵作用，比爾決定要效法他的父親成為一位成功的推銷員。

幾年過後，比爾進入了要工作的年齡，但他面臨一般身體缺陷者的兩難抉擇——到底是工作？還是讓社福機構來扶養？比爾選擇了工作，且選擇要以講話維生的推銷工作，因為父親是他的榜樣。此時，母親不但沒有反對，還成為他的最強後盾。

經過無數次的求職失敗，最後拒絕過他幾次的沃特金斯公司（Watkins Incorporated）願意給他嘗試的機會。因為比爾很誠懇地告訴老闆：「請你給我銷售最差的地區、別人不要的路線。我如果失敗，你沒有任何損失；我如果成功，你就是英雄！」

比爾開始了推銷工作，但真正的考驗才要開始。他常吃閉門羹，他怪異的樣貌嚇哭了客戶的小孩，他被惡言相向、受到冷嘲熱諷。但他沒有生氣，仍保持風度微笑以對，然後踏著踉蹌的步伐，走到下一家敲門。因為母親告訴他：「人們只是需要花更長一點的時間來熟悉你、了解你。」母親堅定不移的信念鼓勵著比爾繼續堅持下去。

就這樣日復一日，月復一月，皇天不負苦心人，終於有些人接受了他、接受了他的產品，也成為他的朋友。在工作十年後，他成為公司的銷售冠軍，當他上台接受頒獎時，他拿起獎盃，含著眼淚說道：「我要感謝我的母親，是她教會了我真誠、善良、耐心、堅持的重要性，沒有她就沒有今天的我！」說完，台下掌聲如雷，所有同事都向他投以敬佩的目光！

因為他的奮鬥精神令人感動，華納公司根據他的真實故事，改編成《推銷員》這一

◆ 西來寺為佛光山海外第一座道場

部電影（Door To Door: The Story Of Bill Porter）。讓人們知道，當老天爺對你不公，不要埋怨、不要怨恨，只要你擁有耐心，永不放棄，堅持到底，終有成功的一天。

## （二）西來寺建築的艱辛

個人的成功要堅持到底，永不放棄，同樣的，弘揚佛法、光大佛教也要具備此種信念。下面就以大師在美國洛杉磯建造西來寺為例。

一九七六年，星雲大師受邀到美國參加建國二百週年的慶祝活動，因緣際會認識了王良信居士，他熱情邀請大師到美國建寺。從此，開啟了佛光山國際弘法的新里程碑，也開啟了大師在全世界建寺安僧的殊勝因緣。

因王居士的土地位於住宅區無法建寺，所以購買了一間位於洛杉磯加迪納市（Gardena City）的教堂，當作佛堂。後來人數越來越多，此處已經不敷使用，便搬遷到位於梅屋（Maywood）的一間教堂。由於大師的祖庭在白塔山大覺寺，這棟建築外觀也是白色，大師便命名為「白塔寺」。大師法緣殊勝，此地亦無法容納求法若渴的信徒，因而展開建造西來寺的艱辛路程。

在美國有個規定，如果你要建寺廟，必須先向法院申請，經過同意後，方可去拜訪當地的居民，請求他們認可簽名。累積了一定數量的同意書，送交法院審核通過後，才有權召開公聽會，請方圓五英里之內的居民來表達意見。

就這樣西來寺的僧信四眾，在住持慈莊法師的帶領下，除了平日要去請求當地居民同意外，也要和社區溝通協調，請求各單位的支持，如此的協調會超過一百次以上。有時候交件的截止時間快到了，同意書的數量不足，法師們還要挨家挨戶請求簽名，甚至碰到颱風下雨，還會碰到無情的閉門羹。身體濕得像落湯雞，心情冷得像冰窖，唯一支撐著繼續走下去的信念，就是要完成大師「大法西來」的宏願。但是這樣的努力卻沒有得到美好的成果，五次公聽會都被打回票，然而西來寺的住眾沒有氣餒，仍然勇往直前，沒有後退。

好不容易終於爭取到第六次公聽會，法官問反對蓋西來寺的請舉手，結果竟然有上百人之多，贊成蓋西來寺的請舉手，只有寥寥無幾的數十人。眼看又要失敗了，這時候有一位牧師站出來為我們說話。他說在場的人都要感到羞愧，當初我們基督教到中國蓋教堂，當地的中國人幫我們搬磚挑瓦，將教堂蓋了起來。如今他們要來美國建寺廟，我們不但沒有幫助他們，還反對人家，能夠不感到羞愧嗎？他又補充，他的夫人是個越南人，信奉佛教，聽聞要建寺廟，悲傷的心情才漸漸開朗起來。經過他的臨門一腳，公聽會才安然通過。

歷經六次公聽會及一百三十五次協調會，西來寺終於在一九八五年獲准興建，翌年（一九八六年）正式破土開工，一九八八年十一月二十六日舉行落成典禮。辛苦的血汗沒有白流，從此，佛光山開始登上世界舞台，逐步實踐「佛光普照三千界，法水長流五大洲」的理想。

以上幾個故事，不說教、不說理，只是將故事情節表露出來，讓各位讀者知道，堅持到底，永不放棄的重要性。

## 三、放下身段

星雲大師在《迷悟之間．放下身段》提到，現在全世界的經濟不景氣，到處裁員失業，我們如何找到職業呢？那就是放下身段，等待時機。大師這一段話，對於在這一波經濟風暴困苦掙扎的人來說太重要了！

### （一）三明治先生的故事

一九九七年亞洲爆發金融風暴，其影響不亞於二〇〇八年的「次貸危機」，許多房地產、股市大亨一夕之間財產蒸發，乃至負債累累，跳樓自殺者比比皆是。曾經是泰國億萬身價、股市房產大亨的斯里瓦也受到波及，他投資的房地產開發案全部慘賠，他徹底破產，還負債十億泰銖。過慣奢華生活的他，頓時一貧如洗，就像風中殘燭，可以說非常的悲慘。

此時他的太太沒有背棄他，反而對他說：「不管怎樣，夫妻必須胼手胝足，無論生活如何難過，我們必須共同克服。」這個不離不棄的支持，對他來說太重要了，因而他決定放下身段，和太太一起賣三明治度過難關。

儘管當時每天只能賣出二十個三明治，收入大約只有五百泰銖，但他們夫妻沒有灰心喪志，仍繼續在曼谷街頭賣三明治，縱然被認出來，受到異樣的眼光，指指點點，他們也沒有退縮放棄，仍是抬起頭來，勇往直前。十年後泰國經濟漸漸起色，他們不斷研發新的口味，一份三明治甚至可以賣到七十泰銖了。斯里瓦不但還清所有的債務，再度躋身富豪之列，同時也贏得了「三明治先生」的封號。

如今他不但繼續在賣三明治，同時也開始巡迴演講，只是這一次不是教人選股及如何投資，而是要泰國人從他的經驗中學到教訓。在接受「路透社」專訪時表示：「十年前，我目空一切、成功又貪婪，那時我才四十八歲，還有很多時間，但現在我五十八了，我還能賣多久的三明治？」又說：「相信能靠股市成為百萬富翁，不過是一廂情願的想法，最後只會落得像我一樣的破產命運。」

## （二）范蠡以退為進的智慧

另一則故事，我們要來探討范蠡「三聚三散」，以退為進、放下身段的智慧。他的一生獲得民間推崇，甚至還稱他為財神爺，這是有原因的。

春秋時期，范蠡（前五三六～前四四八年）戮力輔佐越王勾踐，最後幫助勾踐打敗吳國、復興越國，論功行賞時被封為上將軍。他明白越王勾踐為人可共患難，卻不能同富貴，乃放棄高官厚祿、家業，帶著家眷乘舟遠行，一去不返。文種不僅不聽范蠡勸告，反而恣意追求功名利祿，終究功高震主，被勾踐賜死，印證了「兔死狗烹」、「鳥盡弓藏」的悲哀，這就是史上所稱的「一聚一散」。

其後范蠡浮海到齊國，更名改姓，躬耕於海畔，父子合力治產，幾年內就累積了可觀的財富，加上疏財仗義的性格幫助鄰里，齊國人仰慕他的賢能，請他擔任宰相。范蠡感嘆道：「居家則至千金，居官則至卿相，此布衣之極也。久受尊名，不祥。」於是歸還相印，散盡家財，分贈朋友和鄉鄰，再次地悠然而去。這是史上稱名的「二聚二散」。

一身布衣的范蠡，行至於陶（今山東定陶西北），他以其智慧，觀察此地為貿易要道，是最佳的經商之地，操計然之術（根據時節、氣候、民情、風俗等，人棄我取、人取我與，順其自然、待機而動）以治產。沒出幾年，經商積資又成巨富，遂自號「陶朱公」，當地民眾皆尊他為財神。這是史稱的「三聚」。

史學家司馬遷稱：「范蠡三遷，皆有榮名。」且讚歎范蠡是「與時逐而不責於人」，意思是說，做生意的第一要件是要懂得掌握時代的脈動，不去和其他商主競爭，也不以打倒對方為最終目的，而是盱衡時勢，洞燭機先，率先搶進，賺取利潤。這不就是大家常說的「藍海策略」嗎？因而世人譽之為：「忠以為國，智以保身，商以致富，成名天下。」」

至於「三散」，是和次子在楚國殺人有關。陶朱公以巨額黃金請託楚國莊生幫忙營救，但長子沒有依照他的指示處理，結果害得弟弟被殺。等死訊傳回，母親和族人都感到悲傷難過，唯有他笑笑地說：「我早就知道這個結果。不是他不愛弟弟，是他太愛惜這些錢財了！他從小與我在一起，見過我的困苦、維生的艱難，不忍捨棄錢財。而小兒子生在家道富裕之時，並不知財富的來源，因而很容易棄財，不會吝惜。我先前決定派小兒子去，就是因為他能捨棄錢財，而長子不能。次子被殺是情理中的事，無足悲哀，我日夜在等他的喪訊傳來。」

這就是財神范蠡「三聚三散」的歷史故事。他的了不起就在他所到之處，不論扮演何種角色，都能運用才智創造一番偉大的功業。更可取的是他沒有被名利權勢、富貴榮華所束縛，始終保持著清醒的頭腦，進退自如，而且能夠散盡家財，分享鄰里親朋，一切從頭開始也甘之若飴，充分展現「以退為進」的智慧。

范蠡「以退為進」的智慧，及泰國三明治先生「放下身段」的故事都值得我們學習啊！

◆ 不被名利權勢、富貴榮華所束縛，才能進退自如。

## 四、誠實信用

金融風暴源於何處？來自人們的「貪婪之心」，所以會有不勞而獲、好逸惡勞的念頭，幻想著有天上掉下來的禮物、天下有白吃的午餐，有了這種念頭，當然會尋求速成、投機取巧、急功近利，鑽營旁門左道，不願認真踏實、努力做事。

雷曼兄弟在還沒有破產以前，是一家有「品牌」和「信用」的大公司，且有一百五十年以上的歷史。同樣的，前納斯達克主席伯納．勞倫斯．馬多夫，人們也願意相信他，覺得把錢交給他管理一定不會出錯，但他卻辜負了大家的信賴，外表將帳面的數字做得很漂亮，但私底下卻是一堆爛帳，害得許多投資人血本無歸，一切都是他們貪婪之心所造成的。所以，養成「誠實信用」的行為是很重要的。

一九九四年十月，我被調派到美國，當時需要到政府機關辦理一些文件或證明，但繳交費用的時候，辦事人員告訴我，他們不收現金，因為這是政府的規定，因而往往要跑好幾條街去買金融代用券。等到回來，又要重新排隊，耗費了大半天，非常辛苦，就希望早日申辦信用卡來因應。

本以為辦理信用卡應該很簡單，哪裡知道一樣非常的麻煩和困難。首先你要在銀行存入至少一千美元，然後銀行會給一本臨時支票簿，你要每個月消費，哪怕只有幾美元都可以，每個月你會收到帳單，你要在規定時間將支票寄出，經過十二個月如期還款，沒有違約，銀行才同意給你一張信用卡。緊接著，其他銀行也會寄信給你，希望你到他們銀行申辦信用卡。

為何前面的手續這麼嚴格，後面的手續如此輕易取得？關鍵在「credit」這個字。一般我們認為「信用」是個名詞，但經過這一次申請，我認為「credit」應該是動詞，而且必須經過一年以上的行動證明你是可以信賴的人，因為你能夠按時還款、不會拖欠。一個人能按時還款，當然他開立的支票才可以被相信，他的人格才能夠被尊重。

## （一）信用就是財富

大陸有一個名叫《財富人生》的訪談節目，經常邀請成功的企業家、金融家分享成功之道。每一個單元快結束時，主持人都會請來賓用一句話總結成功的關鍵。

有一次訪談，一位年輕企業家在總結前竟然陷入沉思，然後神情嚴肅地講述一個故事：十幾年前，有一位大學剛畢業的青年，成功申請進入某間法國名校讀書，開始半工半讀的留學生活。有一天他發現在法國搭火車，即使沒有買票，也不會被發現，因為車站是開放的，沒有設置剪票口。偶爾有人來查票，被查獲的機率也只有萬分之三，於是他便沾沾自喜地開始逃票，並且找了一個理由安慰自己，窮學生能省則省吧！

畢業後，他留在法國找工作，雖然有名校學歷的加持，卻屢屢被拒。他萬分不解，便寫信給其中一家公司詢問緣由，結果得到的答案很簡單，因為他的個資顯示出有三次逃票紀錄，所以公司認為這種不遵守規則，又沒有信用的人是不可靠的，因此拒絕錄用。同時在信末，附上意味深長的一段話：「道德常常能彌補聰明的缺陷，然而，聰明卻永遠填補不了道德的空白。」這個教訓讓他如夢初醒、懊悔難當，最後這位年輕人決定返回大陸發展。

企業家講完這個故事，才鄭重地說，我就是那個年輕人。這時在座的大眾都露出驚訝的表情，企業家也不在意大家的反應，接著說，他回國以後認真思考，如何將昨天的「絆腳石」，變成今天的「墊腳石」，「信用」就是他的成功之道。

## （二）大衛的九點五美元

接下來，分享一個在網路上被轉傳無數次的勵志小品。

一九八〇年，一個窮大學生叫大衛，在美國阿靈頓商學院讀書，每個月靠著父母寄來的那麼一點錢維持生活。有一天他發現父母已經兩個月沒寄錢了，迫於無奈，他用僅有的一枚硬幣打電話向母親求救，方知父親已經生病五個月，無法工作，母親用盡積蓄醫治父親，已經沒有餘錢可以供他讀書求學了。

這個晴天霹靂的消息，讓他手足無措，因為還有一個月這個學期才會結束，屆時他就可以利用暑假外出打工，但如今連一毛錢都沒有，可能要休學了，該怎麼辦？

當大衛和母親道別，掛斷電話的那一剎那，突然公用電話傳來一陣不可思議的音聲，許多硬幣從投幣口湧出，這個場景讓他完全傻掉。「我到底要如何處理這筆意外之

◆ 困難的時候，不要忘了希望就在眼前。

財，是占為己有，還是要讓電話公司知道？如果自己留用也沒有人知道……。」正當他在天人交戰的時候，良知告訴他不可以做出違背良心的事情。

於是他從剛才掉下來的硬幣中，拿出一枚銅板，投進公用電話，然後告訴客服中心實情。服務人員告訴他這是公司財產，必須重新投入所有的錢幣，他也照做了，但錢幣還是一直掉出來。這時他又問服務人員該怎麼辦？服務員也沒有碰過類似的事情，乃向上級回報，得到指示後，再回撥給正在等待答案的大衛，告訴他：「因為公司目前人手不足，無法前往回收，所以這一筆錢就歸你所有。」大衛喜出望外，認真仔細算了一下，總共九點五美元，這些錢足夠他支撐到暑假了，且是光明正大獲得的。

接下來好運連連，轉眼暑假到了，大衛找到了清理百貨公司倉庫的工作，老闆對他在電話亭的誠實行為頗為激賞，告訴大衛，除了暑假打工，平日也可以過來，因為他是個誠實、踏實謹慎的人，清理倉庫絕對信得過。大衛也不負期待，認真幹活，老闆很欣賞，就給了雙倍的工資。

領到薪水後，大衛把錢都寄給了母親，因為大衛獲得了下一學期的獎學金。一個月後，母親卻將錢寄回給大衛，說他的父親病情好轉，也找到工作，能夠維持生計。大衛看完母親的來信，掉下了男兒淚，因為他知道，父母就是忍飢挨餓，也不會反過來向他要錢的。

一年後，大衛順利完成了學業。畢業後開了一家公司，第一年，大衛就賺到十萬美元，他非常的高興，寫信給電話公司：「讓我終生難忘的事情是，貴公司把意外的九點五美元資助我。這一慷慨善舉，讓我避免成為輟學青年，走向極端貧困，同時也給了我無窮的力量，激勵我時刻不忘拚搏。現在我有錢了，我想回贈貴公司一萬美元，略表我的心意。」

電話公司老闆比爾隨即回覆了一封熱情洋溢的信：「祝賀你學有所成，事業發達。我們認為，那些錢是我們花得最值得的一筆。這倒不是指九點五美元換回一萬美元，而是這些錢，讓一個人明白了解人生的至理箴言：『在最困難的時候，一不要忘了希望就在眼前；二不要忘了堅守正直品性。』」

以上事例，正如《迷悟之間．信用與名譽》所說：「信用，是一個人成功的里程碑。在商場上，信譽就是無形的資本，珍惜信用，不但為自己增添資本，也能成就別人的好事。信用不只在商場上無往不利，家庭中，夫妻之間、父母與子女，乃至情侶、朋友、同事之間，甚至國與國之間，更不能因利而背信忘義。」

## 五、運用智慧

星雲大師在《迷悟之間．智慧的重要》一文提到：「人生世間，不能不工作賺錢；要工作賺錢，才能生活。有的人用勞力賺錢，有的人用時間計薪；有的人出賣身體謀取所需，有的人靠語言賺錢營生。其實，最聰明的做法，是用智慧來賺錢。」為何智慧可以賺錢呢？

## （一）猶太人的智慧

星雲大師說：「一條妙計，可以贏得一場戰爭；一個主意，可以振興一家工廠；一則良策，可以成就一番事業；一些智慧，可以反敗為勝，化險為夷。」所以，猶太人在教導孩子的時候，非常注重孩子們智慧的養成。如大人會問孩子：「假如有一天你的房子被燒了，你的財產就要被人搶光，那麼你將帶著什麼東西逃命？」小孩子不懂事，以為要帶走金銀珠寶、地契錢幣這些值錢的東西。但母親就會引導說：「你要帶走的不是這些金銀財寶，而是『智慧』。因為你只要活著，『智慧』就永遠跟著你。」

有一對猶太父子，父親叫麥考爾，兒子叫小麥考爾，被納粹抓進集中營，在這樣朝不保夕的環境，父親想的卻是，如果我們父子可以生還，將來要做什麼。因而在這一段時間，不斷地傳授兒子人生的智慧，並要兒子記住，當別人說一加一等於二的時候，就應該想到要大於二。

二戰結束後，上百萬的猶太人死於集中營，幸運的是他們父子存活下來。一九四六年，他們來到美國休士頓做銅器買賣。有一天父親問兒子：「你知道一磅的銅，價值多少錢嗎？」兒子依照市價精確地回答：「三十五分錢。」父親說：「這不是我要的答案。雖然市價如此，但是你身為猶太人，應該是要說一磅銅是三點五美元才對。」

父親去世後，小麥考爾接手父親的銅器生意，並將銅製作成各種產品販售，曾經，一磅銅被他賣到三千五百美元的高價，不負父親的期望和教導。多年後，美國政府整修自由女神像，翻新後，留下的廢棄銅塊、螺絲和木料，堆積如山。紐約政府向社會大眾廣泛招標，但是紐約環保法規太嚴格，處理過程稍有不慎，就會血本無歸，因此無人投標。此時正在法國旅行的小麥考爾得到此訊息後，立刻動身飛往紐約，他看到那些廢棄物後，二話不說就當場簽約。

許多人等著看他笑話。不過，他立即著手進行廢料分類，將所有的銅重新熔煉，做成小自由女神銅雕；將木頭、石塊加工做成底座；將廢棄的鉛、鋁做成鑰匙圈；甚至把自由女神身上掃下來的灰，包裝起來賣給花店當肥料……，也就是他發揮智慧，充分善用了所有的廢棄物。不到三個月的時間，他把別人眼中頭痛的廢棄品，變成了超過三百五十萬美元的價值。當別人在欣羨驚歎他的成就時，他說了一句意味深長的話：「感謝智慧給了我機會和財富。」

## （二）圖書館的巧妙搬遷法

再講一則運用智慧獲得財富的故事。有一間圖書館老舊失修，打算搬遷到新的圖書館，但搬遷費用要三百五十萬元，館長非常傷腦筋，因為圖書館的經費不夠，加上雨季快到了，若不馬上搬遷，後果嚴重。

此時有一位館員去找館長，說他有一個解決方案，可以用一百五十萬元解決。館長十分高興地請他快點說出來，但這位館員有一個要求，如果這筆錢全部花光，那就當成他對圖書館所作的貢獻；倘若一百五十萬不夠用，超出的部分就由他補足；若仍有餘額，剩餘的錢就全部歸他所有。館長聽了即刻答應，因為比實際花費節省太多了！於是就答應了他的條件，且馬上簽約。

接著他們在各大報紙上刊登一則訊息：「即日起，圖書館免費無限量讓市民借閱圖書，條件是必須到新館去還書。」結果一百五十萬元零頭都沒有用完，圖書館已完成搬遷。這就是智慧的奧妙，很多時候我們陷入慣性思考，忘了處理的方案還有很多，只要換個角度思考，效果就會不一樣了。

## （三）五百元的孝順

其實智慧不但可以創造財富，同樣的也可以讓我們安享晚年啊！《人間福報》另類財富專欄，曾刊登一篇〈五百元的孝順〉：老張是一個獨居老人，身體一向硬朗，但自從摔了一跤以後，一直沒有辦法下床。三個兒子也還算孝順，請了一個看護來照顧他。偶爾會回家看看老張，但久了以後也慢慢不回來了。

老張心裡自然難過，有一天心生妙計，要看護去銀行領了一疊五百元大鈔，放在自己身上備用。當兒子回來看他，就故意當著兒子的面，叫看護去買報紙或飲料，然後慷慨地對看護說：「剩下的錢，給妳留著當小費。」這時換兒子們緊張了，這還得了，這樣下去豈不把錢都花光了？甚至懷疑老張還有許多積蓄沒有告訴他們。因而一有空，三個兒子就趕緊回家噓寒問暖，每次他要買東西的時候，兒子就搶著幫忙跑腿，唯恐老張把錢都給了看護。不知內情的親朋好友，都說老張是個有福氣的老人，兒子個個孝順又貼心。

老張不是不慈悲，和兒子們耍心機，而是如果沒有用巧妙的智慧，可能都無法安享餘年。想來，這個年頭想獲得天倫之樂，也是要用智慧好好「經營」啊！

有一本書《窮人與富人的距離 0.05mm》，這「0.05 毫米的距離」，其實就在一念之間。有時候聰明的人，念頭一轉，就有辦法賺到一大堆錢。「有錢人常把責任當作挑戰，但窮人把責任當累贅。」觀念不同，財富就會出現差距。所以，如果我們能夠善用智慧，越是危機，就越是有轉機，縱然碰到金融風暴，一樣有辦法創造財富。

◆ 除了有形的財富，我們更要追求無形的財富。

## 六、無形財富

以上所說的五個重點：勤勞努力、堅持到底、放下身段、誠實信用、運用智慧，都在談如何獲得財富的方法，但世間上還有一種看不到的財富，當你能夠找到這種無形無相的財富，相信金融風暴、經濟衰退對你不會有任何影響。當然如果你本來就很有錢，又有了無形的財富，相信你會活得更快樂。

### （一）誰最貧窮？

大師在《星雲說喻》講了這麼一個

故事：善生長者得到一個旃檀香木做成的金色盒子，非常稀有珍貴，他宣布要送給全國最貧窮的人。很多窮人來找他，善生長者都認為不符合資格，最後竟然還說，他覺得最貧窮的人是波斯匿王。國王聽了當然很生氣，把長者召喚到皇宮來，並且一一指出，自己有金庫、銀庫、其他珍寶的庫房，為何長者要在外面散播國王是最貧窮的人？如果說不出道理，就要給予嚴厲處罰。

此時善生長者從容不迫地回答：「大王！雖然您的國庫盈滿了金銀珠寶，但是您的眼中看不到飢餓的百姓，心中沒有福利人群的慈悲，再多財寶也等於沒有用的東西。財富是用來創造美好的生活，而不是儲藏囤積起來呀！」在善生長者心中，波斯匿王縱使擁有金庫、銀庫、寶庫，實際上卻是個不懂得福利大眾、利益人群的貧窮人。

因此大師最後給了這樣的評語：「世間上像波斯匿王這樣『最貧窮的富人』多得不勝枚舉。有錢不知運用，具知識、有能力不懂善用，只知鎖在寶庫裡自己把玩，自我陶醉，又有何用？真正的富人，應是懂得將手上的財富發揮效用，利濟人間的人！」所以，大師說：「有錢是福報，會用錢才是智慧」，懂得布施分享的人才是真正富有的人。

懂得布施分享不但是真正富有的人，而在布施過程中還能給對方尊嚴、給對方歡喜，那才是真正的無形財富，因為你做到了悲智雙運的菩薩行。

## （二）悲智雙運的菩薩行

記得二〇〇九年八月八日莫拉克颱風開始肆虐台灣南部及東南部，連續三、四天的豪大雨造成人員嚴重傷亡及財產損失，甚至高雄甲仙鄉小林村整個被土石流掩蓋，造成滅村。有人形容這幾天的雨量如同將台灣一整年的雨水倒在南部，難怪山體會崩塌，損失規模也超過一九五九年的「八七水災」。

星雲大師聽到這個不幸的消息，隨即指示佛光山徒眾前往救災，甚至在佛光山及旗山禪淨中心設立災民安置所，提供生活上所有的必需品。大師知道原住民信仰基督教、天主教，囑咐我們在佛光山福慧家園設立禮拜堂，還去聯絡他們所屬教區的神職人員來為他們證道、安定心靈。

有一位牧師來探望自己的教友，離開的時候，剛好被媒體朋友看到，問了一個尖銳的問題：「你是一位牧師，來到佛教的寺廟，看到許多偶像，請問這個和你們的信仰會有衝突嗎？」此時牧師笑笑地回答：「我感謝佛祖，讓我完成上帝交代的任務。」可知大師的這一個舉措，帶來了宗教的融合，也帶來人間的善美。

約莫過了一個多禮拜，大師聽到另一則訊息，那就是九月開學在即，三民國中（今改為那瑪夏國中）沒有辦法開學，因為學校在這次颱風被土石流沖毀，可以提供暫時讀書就學的地方仍付之闕如。大師二話不說，隨即指示我去處理此事。短短十天之內要完成，說真的是「不可能的任務」，幸好佛光山素有集體創作精神，在大師的指導、各單位的協助之下，日夜趕工，一個臨時校區就在普門中學的旁邊設立了。

記得在開學的前一天下午，大師突然來巡視工程及安置狀況，三民國中王校長正在現場了解臨時校舍各個空間的運用，看到大師的車輛到達的時候，立即趨前向大師道出十二萬分的感謝，解決他們的開學難題，但此時大師卻說了一句震撼人心的話：「謝謝你們給我們有服務的機會，如果有什麼需要服務，請不必客氣，要讓我們知道。」當下在場的人都紅了眼眶，這是多麼偉大的胸懷！

想想短短十天要安置一兩百位學生就學，而且規模和住宿型的學校內容幾乎相同，我們不但要搭建臨時校舍，還要安排教室、辦公室、活動場地，還有老師的寮房、學生的住宿用餐，及他們生活上的問題都要一一克服解決。但大師指示我們不要考慮預算、不要考慮經費，只要工程上、設備上有需要就立刻去採購、去執行，重點就是如期交屋，讓學生有一個舒適的環境讀書求學。

當一個人全心全力為眾生解決難題、全心全力為眾生服務，他不會計較自己利益得失、不會有所評估衡量、不會要求回報，此時才能做到《華嚴經》所說：「但願眾生得離苦，不為自己求安樂。」大師這樣的菩薩行，不就是悲智雙運？不就是我們最珍貴的無形財富嗎？

所以當有人對大師說：「假如您不出家，也能和王永慶一樣有錢。」大師謙虛的表示：「論財富、論企業，我是比不上王永慶，但我們學佛的人，擁有般若智慧，三千大千世界都在我們的心中，這一點我是比王永慶更富有的。」因而中國佛教協會前會長趙樸初居士曾以「富有恆沙界，貴為天人師」推崇大師，此句偈語，可說是大師出家一甲子以來心境上的寫照！大師真是當之無愧的「天人師」啊！

我們如何建立無形財富呢？大師在《佛光菜根譚》的這段話值得深思：「有錢可以買到美食，買不到食慾；有錢可以買到醫藥，買不到健康；有錢可以買到床鋪，買不到睡眠；有錢可以買到讚譽，買不到知己。」此種無形財富真的太珍貴了！

另外，大師在《往事百語．隨緣不變是最好的性格》一文也勉勵我們：「不但要有心外的財富，也要有心內的財富（智慧、慈悲）；不但要有現世的財富，也要有來世的財富（功德、福報）；不但要有一時的財富，也要有永恆的財富（真如、佛性）；不但要有個人的財富，也要有共有的財富（利益、功德）。」

所以我在前面提到，除了勤勞努力、堅持到底、放下身段、誠實信用、運用智慧，獲得有形財富外，我們還要去開發無形的財富，如此你的人生才是真正成功圓滿。

## 威德福海

有老虎的威猛，也有道德的行為，福報自然如大海般廣大無邊。

威德福海

二〇一〇庚寅年慶

星雲 八四

Awe-inspiring Virtue and Ocean of Prosperity

佛光山宗委會・國際佛光會 敬賀

在困境中，我們如何因應？
在災難中，應該學習到什麼？
星雲大師將別人加諸他身心上的苦痛，
化為關心照顧眾生的動力，
發願普門大開，
讓人間不再有苦難。

# 威德福海，乘風破浪的人生觀

二〇一〇年星雲大師的新春賀詞是「威德福海」，大師勉勵大家「要有老虎的威猛，也要有道德的行為，自然福報像大海一樣廣大無邊。」

老虎是很威猛的動物，但當牠發起母愛之德、護佑子女的時候，讓我們看了都覺得溫馨感動，所以才會有「虎毒不食子」的說法。這樣一威、一德的結合，我們的福報如大海一般浩瀚無涯！這是我對大師新春賀詞的臆度，因而想以「威德福海，乘風破浪的人生觀」為題，並分成四個重點，來探討大師新春賀詞的意涵：

一、自己本身就是威德福海
二、外力約束就是威德福海
三、自然現象就是威德福海
四、橫逆打擊就是威德福海

## 一、自己本身就是威德福海

二〇一〇年二月，《讀者文摘》公布「台灣最受信賴行業排行榜」，結果在火場穿梭、出生入死的消防員，在四十個行業中勇奪第一！最信賴的前五個行業依次為消防員、司法官、護士、醫師及老師。消防隊員看到失火就是一馬當先，深入火場救災，縱然可能犧牲生命仍是勇往直前，因而贏得大家對他們的讚賞及青睞。

有最受信賴的行業，應該就有最不受信賴的行業。最不被「信賴」的又是哪些行業呢？依序是名嘴、民意代表及電視購物台主持人，這三個行業都是「靠嘴吃飯」，雖然講得頭頭是道，但誠信卻受到大家質疑，因而在社會上不被信賴。當然也不是每個人都是如此，所以如何在不同的行業中，做出品牌、做出信任、做出肯定，是大家的共同功課。

## （一）君子懷德，自尊自重

《論語．學而篇第一》曰：「君子不重則不威，學則不固。主忠信，無友不如己者，過則勿憚改。」一個人立志成為有品德的君子，他不但外表要莊重，行為也要自重，也就是要懂得自尊自重、謹言慎行，懂得「寬以待人、嚴以律己」，懂得謙和處事、虛心受教，如此才能獲得他人的尊重和敬愛。如果自己都不知道自尊自重，別人如何尊重你呢？所謂「人必自尊而後人尊之，人必自侮而後人侮之」。同樣的，不懂得自尊自重的人，讀書求學、做人處事都是輕心慢意，相信他的學問也不會穩固。

此外，一個君子，要重視「忠」、「信」，也就是在工作上要盡忠職守、盡心盡力；人我之間要重視承諾、誠信無欺。所以君子會去結交「主忠信」的朋友，如此可以在道

◆ 佛門「三千威儀，八萬細行」，舉止言談皆安詳、莊重。

德、學問上相互砥礪，有所進步。「主忠信」的朋友，會規過勸善，我們知道以後要歡喜改過，如此你才是名副其實的君子，也才是威儀莊重的君子。所以《六祖壇經》云：「改過必生智慧，護短心內非賢。」

## （二）威儀具足，和諧安詳

以下，我以佛門的一些事例，來說明一個人之所以受到敬重，除了自己的外表威儀齊整，最重要的是內心產生的道德善念，表現在外，讓人歎服。

佛門常說「三千威儀，八萬細行」，

是指我們佛弟子日常生活應有的行為規範和準則，由於修道者受到佛法薰陶、嚴持戒法，展現在外的行住坐臥，自然威儀具足、舉止合宜、從容安詳、謹慎莊重，讓眾生對佛教生起信心，進而走入佛門。

當初舍利弗看到馬勝比丘威儀庠序，法服齊整，內心生起恭敬歡喜之心，不但自己成為佛陀的弟子，也帶領目犍連及他們各自的徒眾，皈投在佛陀座下，這就是威儀度眾的實例。

馬勝比丘的威儀莊嚴，能夠感化舍利弗、目犍連尊者，不是靠著英俊瀟灑的面孔、三寸不爛之舌，而是靠著學佛內化產生的氣質，讓人看到以後內心祥和安定，寧靜致遠，這不就是「自己本身就是威德福海」。

同樣的，儒家對「君子」也是這樣的期許。《論語．子張篇第十九》說：「子夏曰：『君子有三變：望之儼然，即之也溫，聽其言也厲。』」有德君子的外表容貌、態度，從外人眼光看來，會有三種變化：初次接觸君子，是從較遠的地方看到的，覺得他的外貌威嚴莊重，有種不可親近的感覺；等到接近了以後，又覺得他的氣質讓人有如沐春風的感覺；然而聽他說話時，覺得他的言詞嚴正，不會逢迎、粗俗，句句誠懇，切中人心。

### （三）身處動盪，不憂不懼

除了外相上的莊嚴儀表會攝受人心外，許多高僧大德在動盪中、危急中所展現出的不慌不亂、氣定神閒的威儀更讓人歎服。

如《傳燈：星雲大師傳》提到：「在雷音寺講經時，常常有人群聚殿外大聲談笑、百般干擾，大師急中生智，把燈一關，只留下佛前點點馨香。外面喧譁的人被突如其來的黑暗驚懾住，不由噤聲，這時只見和尚端坐的身形莊嚴肅穆，清晰穩健的說法聲，一

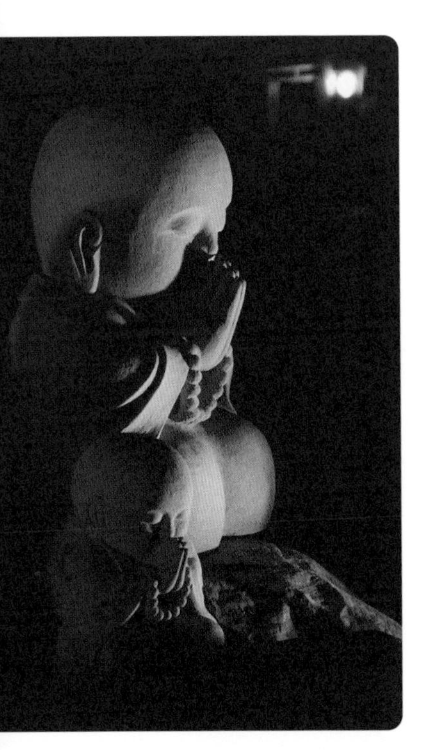

◆ 身處動盪，不憂不懼。

句句傳入耳中。他就是用這一招『靜』字訣，收服了不友善的人，有些甚至一改傲慢態度，接受佛法教化。」所以，大師的威儀具足、悲智雙運，不就是威德福海嗎？

又如倡導「禪淨共修」的永明延壽禪師，曾擔任華亭縣（上海松江）的地方官吏，負責軍用補給，常用公款買魚蝦放生，結果遭人舉發，判處死刑。行刑當天他不憂不懼、神色自若，官員將此訊息向朝廷呈報，皇上下令調查，方知其一片慈心，又沒有中飽私囊，便將之釋放。永明後來捨官出家，終成一代高僧。

還有四川樂山大佛的建造，也是令人感動。傳說，唐朝時凌雲山下的岷江、青衣江、大渡河三江匯流，水勢兇猛、流水湍急，經常吞沒行船，危害百姓。凌雲寺的海通和尚不忍百姓受苦，發願開鑿彌勒佛坐像，為百姓祈求平安吉祥。他艱辛困苦到處化緣，好不容易籌到資金，乃招集能工巧匠，開鑿大佛，此時一個地方官員竟然向海通和尚索賄，海通毅然地說：「自目可剜，佛財難得！」隨即以刀挖出一隻眼睛，置於銅盤之上，此種不畏生死、不怕劇痛、不懼權勢的精神，嚇得索賄官員倉皇逃走。海通的浩然正氣，真是驚天地、泣鬼神，更感得四面八方的百姓踴躍支持。樂山大佛的營造，從唐玄宗開元初年（七一三年）開始，到唐德宗貞元十九年（八〇三年）完工，歷時九十年。大佛完工時，海通和尚早已圓寂，但其事蹟卻永遠被世人所推崇。

另外，日本的空也禪師，有一次出外弘法，路過一條山路，突然碰到盜賊出現，要他留下「買路錢」。此時禪師竟然流下眼淚，土匪們笑他是一個膽小的和尚。空也禪師嘆氣說道：「我不是膽小害怕，而是看到你們年輕力壯，卻不務正業，不但為國家法律、社會道德所不容，將來還會墮入到地獄、餓鬼、畜生等三惡道受苦，所以才著急地流下眼淚啊！」強盜們聽後，感動萬分，紛紛拋下刀劍，跪在禪師的面前，請求禪師收他們為徒，指引他們一條明路。

從以上幾則故事，我們清楚看到，碰到突如其來的災難，高僧大德們神色自若、正氣凜然、不憂不懼、不亢不卑，展現出的慈悲、智慧、勇氣、德行，因而降伏了頑劣的鄉民、感動了執法的官員、嚇阻了違法亂紀的劣吏、感化了盜匪，才能解決困境、脫離險難。官員、盜匪有威勢、有武力，但禪師有德行、有慈悲，此德終能降伏權勢武力相逼，這不就是「自己本身就是威德福海」嗎？

## 二、外力約束就是威德福海

### （一）慈悲攝受，威力折服

傳統的寺院，一進山門就會看到四天王殿，映入眼簾的是笑口常開的彌勒菩薩，表示佛門慈悲廣大，歡迎各界人士前來學佛。但在菩薩的後面，卻供奉著勇猛威武的韋馱菩薩，表示你到了佛門聖地，要遵守規矩，不可違法亂紀，否則韋馱菩薩會對你不客氣。有了象徵「德」的彌勒菩薩，又有了象徵「威」的韋馱菩薩，自然而然這個道場就能安心辦道，讓佛法久住，護佑眾生。

另外，以學校教育來說，學務處代表「威」、輔導處代表「德」。學生難免會犯錯，此時，學務處代表校規的執行，一板一眼沒有寬宥，但是若一直用嚴厲的方法對治學生，他們也會反彈。所以，輔導室這時就要發揮溫和慈悲的角色，傾聽學生內在的聲音，讓他們情緒可以抒發，才能解決學生的問題，導正他們向上。

家庭教育何嘗不是？所以，大師在《迷悟之間．教育的愛與嚴》說：「在一個家庭

◆ 姁之嫗之，春夏所以生育也。

裡，父親教育子女，大都採取嚴厲的手段，而母親則是以慈愛為鼓勵。光是嚴厲的責備，兒女不服；光是愛的鼓勵，兒女不怕。所以，真正的教育，有時要以力的折服，有時也要有愛的撫慰。正如《禪林寶訓》說：『姁之嫗之，春夏所以生育也；霜之雪之，秋冬所以成熟也！』」

春風夏雨、秋霜冬雪能使萬物成長、成熟，人生亦是如此，堪受得起世間的人情冷暖，便能有所成就。以上這些不就是「外力約束就是威德福海」嗎？

## （二）禪門教育，自覺自省

《星雲禪話》有這麼一則故事：有一天晚上，七里禪師正在誦經，有一個強盜偷偷潛入，且拿刀恐嚇禪師交出錢財。此時禪師一點也沒有驚慌失措，只是淡淡地說：「錢在抽屜裡面，自己去拿，不要打擾我誦經。」

強盜將錢財搜刮一空後正要轉身離開，禪師又說：「留下一點錢，明天我可以買花果供佛。」強盜真的照做了，準備要離開的時候，禪師又開口了：「收了人家的錢，不會說一聲謝謝嗎？」強盜謝過以後，一溜煙就跑了。

不久後，這個強盜因為其他案件被官府逮捕，招認了所有的罪行，於是官差請禪師指認，但是七里禪師卻說：「此人不是盜賊，錢是我給他的，他已向我說過謝謝了。」也因為禪師的作證，盜賊減輕不少刑責。服刑期滿後，特地來皈依七里禪師，後成為禪師門下傑出的弟子。

禪門的教育真是活潑，本應該好好懲罰盜賊，讓他了解法律的威力，但禪師卻鎮定自若、安詳自在，以沒有畏懼、驚慌失措的修持威德面對生死，甚至還為盜賊說項，最後在禪師慈悲引導之下，改過自新，成為佛門弟子。禪師不就是以大慈悲、大智慧、大方便、大禪定的德行，來讓盜賊自我約束、自我反省，最後走上解脫之路。

《星雲禪話》還有另一則故事：有一位僧人在橋上禪坐，忽然聽到兩個小鬼的對話。甲鬼對乙鬼說，明天有一個替死鬼要來了。乙鬼問此人有何特徵？甲鬼說他頭上會帶著鐵帽子。這是人命關天的事情，僧人決定留下來救人。

果然隔天有一位頂著鐵鍋的人出現，且到橋下躲雨洗腳，僧人馬上趨前說明緣由，阻止意外發生。兩鬼很生氣僧人破壞好事，欲加害於他，僧人隨即入定，因而兩鬼看不到他，只看到一座寶塔。

一段時間過後，僧人心想兩鬼應該離去了，哪知一出定，兩鬼又來找他麻煩，他又趕快入定，如是三次出定入定，僧人終於豁然大悟，成就道業。因為是被兩鬼所逼迫而悟道，從此被稱為「鬼逼禪師」。

以上兩則禪門公案，前者是七里禪師以「慈悲的攝受」降伏盜賊，因而啟發了盜賊的良知；後者是鬼逼禪師遇到兩鬼緊密追緝，在情勢危急、緊要關頭之際，豁然大悟，此是「威力的折服」。不論是「慈悲的攝受」，或是「威力的折服」，其實兩者是相輔相成的，都是靠著「外力約束」讓我們「威德福海」。

## 三、自然現象就是威德福海

自然現象也是威德福海，為什麼？

二〇一〇年二月二十二日，我到台北參加陳文茜小姐製作的《±2℃》紀錄片首映會。陳小姐為什麼會邀請佛光山參加呢？因為二〇〇九年八八水災（又稱莫拉克風災），高雄縣政府請佛光山協助安置受災鄉親，她特別前來位於佛光山福慧家園的安置中心關心。在了解我們安置鄉親的作業，以及與原住民鄉親互動的情況，她非常感動，感受到佛光山在救災方面的貢獻。

首映會結束後，我代表星雲大師轉贈一幅「威德福海」的墨寶給她。同時對陳文茜小姐說，今天看過您《±2℃》紀錄片，對大師「威德福海」有了更深入的認識了解。大自然的反撲力量，造成我們家破人亡，甚至國土危脆，這是非常可怕的一種威力。如果每個人都能在這時候，從內心產生一股反省的力量、一種道德的行動，才有辦法保護我們生存的地球。

現在，氣候極端的變化，一下子乾旱、一下子洪災、一下子急凍、一下子熱斃，許多地方沒有乾淨水源、沒有足夠糧食，為了奪取資源搞得劍拔弩張，這個世間自然不能祥和安樂。反之，我們積極改變人類奢侈浪費的生活方式，不去濫墾、濫伐、濫採、濫捕，大家積極參與環保救地球，相互合作，自然人我和諧相處、人物和諧發展，此時所有眾生的福報，真的如大海一般的寬廣。

因此，以下針對「自然現象就是威德福海」提出四點意見。

## （一）正視「因果業報」的觀念

《人間福報》曾刊登一篇〈西雅圖酋長的宣言〉，此文敘述大地、萬物和我們人類的關係，喚醒世人要重視環保議題，並珍惜地球的有限資源，尊重所有物種生存的權利。也隱約反諷白人以武力強取豪奪土地，卻不懂得珍愛天地萬物所賜的一切，真是讓人惋惜！下面摘錄酋長其中幾段話共勉，值得我們省思：

◎在華盛頓的總統寫信給我，他表達要買我們土地的意願。您怎麼能夠買賣穹蒼與土地的溫馨？多奇怪的想法啊！假如我們並不擁有空氣的清新與流水的光耀，您怎能買下它們呢？

◎我們知道，大地不屬於人類，而人類屬於大地。我們知道，每一件事物都是有關聯的，就好像血緣緊緊結合著一家人。所有的一切都是相互有著關聯的。現在發生在大地的事，必將應驗到人類來。人類並不是編織生命之網的主宰，他只不過是其中的一絲線而已。他對大地做了什麼，都會回應到自己身上。

◎你們現在也許認為，因為你們擁有神，所以也可以占有我們的土地，但是不能這樣。祂是眾人的神，祂的慈悲平等地分享給紅人與白人。大地對祂而言是珍貴的，對大地的

◆ 我們要珍惜地球的有限資源，尊重萬物的生存權利。

**傷害，是對造物主的輕蔑。白人也終將滅絕，甚至有可能比其他種族還快。如果你弄髒了自己的環境，總有一天會窒息在你所丟棄的垃圾之中。**

〈西雅圖酋長的宣言〉是佛門的「因果業報」觀念、「此有故彼有，此無故彼無」的同體共生關係；是星雲大師所提的「共生吉祥」、「享有代替擁有」概念。人類雖然可以用脅迫、威嚇、武力奪取想要的東西，但當大自然反撲時，就是我們人類共同厄運的開始。

如今南北極冰川不斷地融化、臭氧層破洞、地球溫度不斷地上升、極端氣候越來越頻繁，這些不就是人類嘗到苦果的開始嗎？因此我們要積極推動環保救地球的運動，當我們激發出保護大自然的心靈之德，相信我們的地球，會漸漸地

◆ 過堂五觀想，不揀擇食物，以感恩、惜福之心用齋。



復原，大家才可以過著幸福安樂的日子。

## （二）養成「惜福愛物」的習慣

如何做好環保工作呢？大師呼籲我們要「惜福」。因為福報猶如銀行的存款，不斷地揮霍，終有一天也會坐吃山空。大自然的資源，何嘗不是？如果我們不斷地濫墾、濫伐、濫採、濫捕，這些珍貴的資源也會枯竭。

所以，大師在〈佛教對「環保問題」的看法〉說：「愛物惜福，本是生活的美德，但是現代社會，物質豐裕，許多人已習慣奢侈浪費，飲食日用無節制，或任意糟蹋丟棄，暴殄天物，不知惜福。……世間上無論什麼東西，都是來之不易，因此要懂得珍惜。」因而佛門提倡：「衣單二斤半，洗臉兩把半，吃飯四句偈，過堂五觀想。」

所謂「衣單二斤半」，是指修道者所擁有的物品非常少，過著寡欲知足的生活。「洗臉兩把半」，指洗臉的時候，毛巾只能夠沾濕兩次，資源有限要節約用水，引申為對任何物品都不會浪費，生活極盡儉樸。

「吃飯四句偈，過堂五觀想」，指吃飯前要合掌念「四句偈」，先將此食供養三寶及一切眾生，這是在養成「但願眾生得離苦，不為自己求安樂」的悲心和願力。用齋飯的時候要「食存五觀」，想想自己有多少功德可以獲得眾生的供養，用齋時不去貪著口味、不去揀擇食物的好壞粗細，要以感恩心、慚愧心吃飯，養足力氣好好用功辦道，才能酬謝諸佛菩薩的恩德及眾生的供養。當你有這些觀念，自然不會浪費。

如果人人能夠養成出家人這種「惜福愛物」的習慣，大自然就不會被快速摧殘，大自然本身就會慢慢復育，如此一消一長的平衡互動，我們才能快樂的生活在我們珍愛的地球。

## (三) 重視「共生共榮」的教育

什麼是「共生共榮」的教育?大師在〈佛教對「環保問題」的看法〉說過兩個小故事,可以說明此觀念。

有一位來自東方的學生到德國讀書,他向一位老先生租了一間房子,房間裡面設備齊全,但這個學生有個壞習慣,外出的時候常常不關燈、不關冷氣。老先生告訴學生要養成節約用電的習慣,此善意勸導沒有讓此生感謝,反而振振有辭地說,我已經繳了房租,想怎麼用就怎麼用。此時老先生也很不客氣地說,年輕人,這是我們國家的能源,每一個住在德國的人都應該去愛護,如果你不節約,他也不節約,我們國家的能源就會短少,國家會窮,大家的日子會難過,怎麼會不干我的事?

另外,有一位美國老太太看到一個少年喝完汽水,亂丟空罐子,老太太就叫年輕人把罐子撿起來,丟到垃圾桶。少年很倔強地回答,這是大馬路,又不是你家,關你何事?我就是不撿起來。老太太也很不客氣地說,這是我們居住的環境,你亂丟東西,染汙我們的環境,讓我們的房價降低,怎麼不關我的事呢?這位老先生、老太太是真的具有「共生共榮」的概念，且是一個智者、勇者啊！

的確，唯有人人發揮道德勇氣，遏止人們隨便破壞環境、弄髒社區，社會才會更美好。今天兩位年輕人，養成這種浪費的習慣、亂丟垃圾的惡習，未來是否也會造成更多的資源浪費，甚至亂倒棄土、亂倒汙染或有毒物品，讓大地承受更多的壓力，將來大地的反撲也是我們要共同承擔的惡果。要知世間凡事都要靠各種因緣才能成就，世間萬物都在供應我們生活所需，應該好好珍惜，怎麼會不關我們的事呢？

## （四）具備「慈悲柔軟」的心胸

大師在〈佛教對「環保問題」的看法〉提到：「《菩薩睒子經》說睒子菩薩『履地常恐地痛』，他每走一步路，都不敢用力，怕踩痛了大地；每說一句話都不敢大聲，怕吵醒了熟睡的大地；他不敢亂丟一點東西在地上，怕汙染了大地。睒子菩薩那麼愛護大地，也可以啟示佛弟子要懂得重視環保。」

大師又說：「當初佛陀唯恐雨季期間外出，會踩殺地面蟲類及草樹新芽，所以訂立結夏安居的制度；佛教寺院為鳥獸締造良好的生存環境，所以不濫砍樹木，不亂摘花果，凡此均與今日護生團體的宗旨、措施不謀而合。」

從大師這兩段話，我們可以知道諸佛菩薩，及後世佛弟子們「慈悲柔軟」的心胸，以及愛護地球、重視環保的具體行為。

根據世界自然基金會（World Wide Fund for Nature）於二〇一五年的報告顯示，自一九七三年至二〇〇九年間，泰國國土境內已喪失了百分之四十三的林地，如今還不斷地被破壞。為了避免林地遭到濫墾濫伐，許多具有環保意識的比丘，在泰國各地的森林，

◆ 不濫砍樹木、不亂丟垃圾，護生、環保愛地球。

為樹木圍上象徵出家人的黃色「袈裟」，也告訴泰國人，他們是已經出家的「樹比丘」。由於泰國九成民眾皆信仰佛教，對於僧眾也極為尊重，因此更將樹比丘視為「神聖不可侵犯」。雖然比丘仍會受到利慾薰心之徒的破壞阻擾，但他們還是堅持這種和平的方式保護森林。他們這種行為，我們可以稱呼他們為現代的「睒子菩薩」。

大自然的威力雖然無窮，但只要我們正視「因果業報」的觀念、養成「惜福愛物」的習慣、重視「共生共榮」的教育、具備「慈悲柔軟」的心胸，共同攜手合作，以實際行動環保救地球，相信大自然也會以芬芳花果，秀麗山河回報我們。此時不就如同《維摩詰經．佛國品》所說：「若菩薩欲得淨土，當淨其心；隨其心淨，則佛土淨。」

## 四、橫逆打擊就是威德福海

前面已經提過「自己本身、外力約束、自然現象」都和「威德福海」有關，現在要說的是「橫逆打擊就是威德福海」。為何會如此說呢？人的這一生，碰到橫逆打擊是一件正常的事情。所以南宋方岳〈別子才司令〉云：「不如意事常八九，可與語人無二三。自識荊門子才甫，夢馳鐵馬戰城南。」

意思大概是說：「人經常會碰到許多事情，十件當中，八、九件都是不如意的事情，但可以讓我去訴說不如意之事的人，卻不到二、三人。因為當我將苦悶委屈的心聲隨意告訴人家，可能得不到真心關懷安慰，卻可能換來幸災樂禍的打擊，也有可能會被出賣。但是自從我在荊門（今湖北省中部）認識牟子才以後，我時常夢見自己騎著披上鐵甲的戰馬，馳騁沙場，奮勇殺敵，為何？因為我在茫茫人海中，終於找到和我一樣有保家衛國理念的仁義之士啊！」

為何方岳會寫這一首詩，我們必須了解其時代背景，及寫〈戰城南〉的含義。方岳是南宋理宗紹定五年（一二三二年）的進士，因為直言不諱，得罪了權貴賈似道、丁大全等人，因此仕途坎坷，起起落落，後隱居不仕。

牟子才在南宋寧宗嘉定十六年（一二二三年）進士及第，算是方岳的前輩，彼此惺惺相惜。他不畏權貴、剛正不阿，曾經勉勵年幼的文天祥能有遠大的志向。被賈似道、丁大全等人視為眼中釘。

〈戰城南〉是著名的漢樂府民歌，是一首哀悼在戰場上陣亡者的詩歌作品。方岳有感當時南宋受到元朝的侵擾，而朝中奸相佞臣不思保家衛國，卻專權亂政，前線戰事緊急，卻一手遮天，隱瞞不報，讓戰士犧牲慘重，間接導致了襄陽城淪陷。故詩末藉由〈戰城南〉，表達了自己等有志之士心聲：「吾等雖有抗元之志，卻無從發揮，只能徒呼奈何啊！」

其實此詩不只感嘆人生「不如意事常八九」，也說明能夠在艱困的路途上，碰到知心朋友是多麼難得啊！同樣的，在我們的人生路上，何嘗不會碰到不如意的事情。當我們面臨這些困境，要如何因應呢？我們又要在災難中學習到什麼？這是要去研究的課題，以下提出四點和大家探討：

## （一）面對低潮，忍耐有恆

人遇到低潮是很正常的事，我們應該如何面對？個人的見解是「忍耐有恆」。我還沒有出家前，很喜歡游泳，有一次在游泳時，為自己設定一個目標，希望能夠不間斷游出一千公尺以上的距離。但是我發現每一次游到三、四百公尺左右，身體疲累且有灼熱的感覺，換氣也不是很順利，因此好幾次都半途而廢。有一天告訴自己，無論如何一定要突破這個難關，縱然撐不下去，也要往前衝刺，頂多喝幾口水罷了，淹不死人的！

當我下定決心，碰到前面所說的游泳瓶頸，真的是義無反顧，勇往直前。經過一、兩百公尺的痛苦煎熬，發現自己的手和腿慢慢輕鬆起來，呼吸、換氣也跟著順暢了，接著一千公尺已經不是難事，甚至可以到二千公尺。自從突破這個難關，接下來碰到人生的關卡，都會告訴自己：「沒有問題，堅持下去，一千公尺絕對沒有問題的！」

人生路上，每一個人都會碰到撞牆期的低潮，當你一直在原地踏步，沒有任何進展，記得不要焦躁，只要「忍耐有恆」堅持下去，有一天你會突破難關，再創高峰。

二〇一〇年「超級盃」（Super Bowl）的MVP，是由「聖徒隊」四分衛德魯．布里斯（Drew Brees）獲得。聖徒隊可以榮獲總冠軍，布里斯可以獲得MVP都是出乎大家意料之外。為何呢？

布里斯是「國家美式足球聯盟」（National Football League，NFL）的棄將。一般四分衛至少一百九十公分以上，他只有一百八十公分，雖然在大學時代表現不錯，但在職業比賽中，卻得不到教練的青睞，因此常坐冷板凳，甚至有「矮腳虎」的稱號。

二〇〇五年他在代表「閃電隊」的比賽中受傷，醫生斷言他無法恢復原來的身手，且可能提早退休，他非常沮喪，但母親不斷地鼓勵他不要放棄，他也將此句話當作自己的座右銘。

二〇〇六年，聖徒隊的總教練裴頓（Sean Payton）邀請他加入聖徒隊，但是他有一點猶豫，擔心自己舊傷無法為球隊爭奪佳績。但裴頓不放棄，並親自開車帶他出去談加盟之事。就在隨意漫遊紐奧良的時候，看到市區受到二〇〇五年八月「卡翠娜颶風」肆虐影響，至今仍到處滿目瘡痍、殘破不堪，布里斯內心受到強烈的衝擊，因而決定要為紐奧良做一點事情，讓充滿悲觀、低迷氛圍的市區，可以重新活絡起來。

經過幾年的努力，終於在二〇一〇年超級盃比賽中，他率領聖徒隊獲得冠軍。此冠軍真是得之不易啊！原本賽前所有的評論一面倒地說「小馬隊」一定獲勝，加上聖徒隊一路來都是公認的墊底隊伍，所以當他們逆轉勝勇奪冠軍時，真是跌破大家眼鏡。

但這個冠軍對紐奧良市民來說太重要了，他振奮了紐奧良市民：縱然颶風威力強大，但只要團結一心，奮勇向前，就可以衝破難關！所以當記者問布里斯獲得MVP的感言，他說：「所有的人都說我解救了紐奧良，但在我內心深處，卻認為紐奧良解救了我。」因為他被殘破的市容震撼，激發出鼓勵紐奧良市民的心願，而這股強大的心力，讓他克服了身體傷痛帶來的阻礙。

## （二）面對逆境，正面思考

星雲大師說：「『正面思考』是一種觀念的環保，也是一種良好的習慣。一個懂得正面思考的人，不管遭遇到任何困難，總能保持愉悅的心情，甚至化險為夷，為自己帶來好運氣。」

大師曾經幫助東初法師編輯《人生雜誌》，不論如何忙碌，他都會準時將雜誌付梓出版。有一天，大師將印刷好的雜誌送去北投法藏寺給發行人東初法師，轉了幾班車終於到達北投，當晚下著毛毛細雨，大師怕雜誌淋濕了，還脫掉長衫包覆起來，然後扛在身上，爬上山頂，交給東初法師。此時已近深夜十一點，長老嘉許他的負責，又因天晚就留他住一宿。

第二天早上醒來，大師發現房門被鎖住，竟被關在房內不得外出，等到工作人員想到，已經近午了。本要下山，長老叫大師留下來幫忙，因為中午要請客。等到客人來了，卻又叫他到廚房吃飯，那時飯桌還有幾個空位。大師忍著屈辱到了廚房，看到大家都在忙碌，實在不好意思進去吃飯，就這樣餓著肚子離開法藏寺。因為已經幾餐沒吃，加上身心俱疲，大師說他下山的時候，腳步踉蹌，好似踩在雲端，至今仍不清楚如何走下四百多個台階。

在如此難堪的情況下，大師沒有怨恨，只是堅定地發願，將來我蓋了廟，一定要「普門大開」，讓大家有飯吃。後來佛光山位於台北的別院「普門寺」建造完成，大師交代每天擺設兩桌，供往來信徒香客用餐，不論認識或不認識。大師將別人加諸於他身心上的苦痛，化為關心照顧眾生的動力，發願「普門大開」，讓人間不再有苦難，這種「面對逆境，正面思考」的寬大心胸，值得我們效法學習。

## （三）面對壓力，放下自在

有一位女生，由於升學失敗沒臉見人，十五年來拒絕踏出家門一步。為什麼呢？十五年前，她是一名資優生，國中畢業準備考高中，但是爸爸說家裡沒錢沒有辦法讓她繼續升學，就先去工作貼補家用。等到家裡經濟比較穩定，她去重考，結果差三分沒考上，過了一年再重考，又沒考上。從此，這個女生就把自己關在房間裡面不再出來。凡是有人要來勸她，她就很激動的要自殺；別人安慰她，她則認為別人嫌棄她是個沒有用的人。因此沒有人敢去「惹」她、「得罪」她，大家都知道，最後結果一定是她大吵大鬧，嚷著要絕食或是自殺。

其實社會上有不少類似個案，有些人在生活中因為受不了打擊，借酒澆愁、自殘、自殺，甚至暴力相向、殺人放火。有些年輕的孩子，因為無法面對家庭的情況，行為開始放蕩，甚至吸毒、結交一些損友，這都是因為他們在面對壓力時，不懂得「放下自在」

的關係。

所以接下來，要講一個面對生死，放下自在的故事。

二〇〇九年十二月，一位罹患血癌的林佳儀同學，雖然已經癌末，但仍然樂觀學習。老師徐偉迪每兩週會到林家為她上課，課業上有什麼問題，她也會主動提問，完全看不出生病的樣子。後來病情加重，住到醫院化療，徐老師怕她在醫院無聊，出了兩份國文作業給她寫，而林同學也很認真在病房做功課。雖病情惡化，但仍硬撐著，以孱弱的身體完成老師交代的作業，又提醒母親一定要幫忙把作業交給徐老師，才嚥下最後一口氣。

當老師接到作業，眼淚已經不自主地滑落下來，強忍著淚水批改作業，並在出殯當天，將批改好的作業交給林母，讓林同學在天之靈安心。

林母說，佳儀是家中長女，個性貼心，住院期間知道住家附近修路，還在電話中提醒奶奶，外出注意安全；病逝前一天，她堅強地告訴母親：「不要為我擔心，就算我到天上，也會當小天使，照顧爸爸媽媽。」

林佳儀的生命雖然僅有短短的十三年，但她那種活潑、開朗、認真的身影，相信會永遠活在家人、師長與同學的心中。同樣是十幾歲的女生，一個是碰到考試的挫折，將自己封閉起來；一個是面對嚴肅的生死壓力，仍然樂觀以對。所以學習面對壓力，放下自在，是人生很重要的功課。

英文諺語：「Stressed is just desserts, if you can reverse.」（壓力就是甜點，只要你能逆向思考。）「Stressed」叫做壓力，字母從後面念起就叫「甜點」（desserts）。同樣的，anger（生氣）與danger（危險），只差一個字母；瞋心一起，危險伴隨而來。所以，人要學習正面思考，因為「面對陽光，陰影就在你的背後；背對陽光，陰影就在你的面前」，面對壓力要放下自在，才能夠威德福海。

**（四）面對災難，反省改進**

在「自然現象就是威德福海」這一個篇章，我提到參加陳文茜小姐製作的《±2℃》首映會時，因為看過影片，更明白了解大師新春賀詞提出「威德福海」的苦心及意義，也更清楚看到，人類破壞大自然所產生的可怕惡果。面對這樣的災難，我們如何面對？其實最重要的方案，就是人類要懂得反省改進。

但人類真的會去反省嗎？很遺憾的是，答案是否定的！二〇〇九年十二月，聯合國號召世界各國於丹麥首都哥本哈根開會，重點在討論全世界的氣候變化，以及減少二氧化碳的排放量，討論十多天，卻是破局收場。因而陳文茜小姐說，此次協議「唯一的結論就是沒有結論」，但大家卻有一個共識，同意地球升溫的幅度應該限制在攝氏二度以內。這代表各國反省力度不夠，還在為自己的利益打算。

要知將溫度控制在攝氏「正負二度C」以下，對我們人類來說太重要了。星雲大師在《當代人心思潮·環保與心保》一文中有很詳細的說明：

「為了讓所有人理解什麼叫做全球暖化，以及地球每增溫一度會為人類帶來什麼災難？美國國家地理頻道特別製播一集名為《改變世界的六度C》之影片。片中說明，當全球均溫上升一度時，美國西部將面臨嚴重乾旱，大部分的地區會變成沙漠。

當地球升溫二度時，格陵蘭的冰層快速融化，屆時海平面上升七公尺，一些沿海城市，包括紐約、倫敦、曼谷、上海甚至台北等，都將全數被淹沒。

當地球升溫三度，過了這個臨界點，人類將無力抑制全球溫度上升的趨勢，屆時巴黎的夏季被熱浪襲擊會成為常態，夏天的北極圈也沒有了冰雪，亞馬遜雨林會逐漸枯萎，甚至因為乾旱而發生雨林火災。

當地球升溫四度時，孟加拉被水沖垮，埃及、威尼斯被海水淹沒，世界幾條最大的河流可能乾涸，因而危及數千萬甚至數億人的生存。

當地球升溫五度時，南北半球的溫帶地區全部不適合人住，洛杉磯、孟買、開羅等城市的水源將會枯竭，屆時全世界的難民人數將無以估計。

當地球升溫六度時，許多大城市會被淹入海底，屆時天災成為常態。當這一天來臨時，應該就是所謂的『世界末日』，人類恐將步上恐龍帝國滅亡的後塵，從此人類文明不復存在。」

之所以會有這樣可怕的現象發生，依照科學家研究，一切都是溫室效應升高的問題。要緩和地球溫室效應的升高，就必須將全球每年的二氧化碳排放量，控制在三百五十億噸以下。如果超過，溫室效應一定會加快，也就是會發生地球溫度上升，其可怕的惡果已經在前面分析說明。

造成溫室效應最大元兇就是畜牧業，牛、羊、豬消化飼料過程中釋放的甲烷，暖化能力比二氧化碳高二十多倍，所以聯合國糧農組織（FAO）二〇〇六年已經具體指出，畜牧業是全球暖化的主要原因。而畜牧業相關產業，占全球溫室氣體總排放量的百分之十八，約是辦公室和家庭碳排放量（占約百分之八）的兩倍多；也比全世界飛機、汽車、機車等交通運輸的碳排放量（占約百分之十三）多了將近四成。每生產一公斤的肉類，相當於製造三十六點四公斤二氧化碳。一個肉食者一年約產生一千五百公斤的二氧化碳，素食者僅產生四百三十公斤。

報章雜誌曾刊登有些國家要對牛、羊徵收「放屁稅」，本以為是在開玩笑，但從上面的各種數據分析，我們知道地球暖化越來越嚴重，其禍害除了海平面升高，還有大海嘯的發生。更可怕的是如果永凍層融化，會釋放出大量甲烷，將嚴重破壞臭氧層。要知臭氧層逐漸稀薄或消失，將導致紫外線直接照射，會增加人們白內障及癌病變，甚至造成物種的滅絕，因而要徵收「放屁稅」我們是可以理解的。

既然吃肉會有這麼多的禍患，我們人類想生存下去，一定要開始少吃肉、多蔬食，甚至推動大家一起來吃素，不但對身體健康有幫助，同時也對「環保救地球」盡一份我們的心力。二〇〇七年諾貝爾和平獎得主帕卓里也說：「不吃肉，就可以協助遏止地球暖化。」

星雲大師在建造佛陀紀念館的時候，特別在八塔南北長廊的外圍，設計了豐子愷居士《護生圖》的浮雕，內容除戒殺、護生、善行之外，並彰顯因果報應，互助互愛的重要性。也把佛教的慈悲精神具體表現出來，讓人們看了護生圖，能夠棄葷茹素。

為了「抗暖救地球」，國際佛光會世界總會於二〇〇九年「第四屆第五次理事會議」決議，將加強環保行動，全面推動節能減碳、綠化造林、使用環保碗筷、資源回收、垃圾分類等行動，共同搶救地球。目前全球佛光協會已在世界各地栽種五百萬棵以上的樹木，以「植樹救水源」的實際行動響應環保。並且先後於世界各地進行清潔河畔、沙灘、海邊，以及整理公園等活動，期使環境獲得潔淨與綠化。

◆ 佛陀紀念館的《護生圖》浮雕，把佛教的慈悲精神具體表現出來。

總之，地球只有一個，我們一定要加以愛護，等到大地破壞殆盡，大自然無情反撲，人類就後悔莫及了。所以我們要趁現在反省改進，大家共同環保救地球，才有辦法安居樂業，福報如大海。

「威德福海，乘風破浪的人生觀」，我們應該要注意哪些重點：

一、自己本身就是威德福海

二、外力約束就是威德福海

三、自然現象就是威德福海

四、橫逆打擊就是威德福海

祝福大家都能在「威德福海」當中，得到深廣如大海般的福報。

Skillful Wisdom and Enlightened Mind

佛光山宗委會・國際佛光會 敬賀

## 巧智慧心

有巧智，才能有思想；有慧心，才能洞察一切。

我將蘇軾的前半生歸屬「巧智」，
烏台詩案後，面對太多人生不幸，
東坡居士在佛道思想中，
得到心靈解脫及寧靜，
「慧心」漸漸滋長，
最後的生命旅程可以說是：
任性逍遙，隨緣放曠，但盡凡心，別無勝解。

# 巧智慧心，談蘇東坡也無風雨也無晴的一生

今天要講的題目是「巧智慧心，談蘇東坡也無風雨也無晴的一生」。

佛光山開山星雲大師於二〇〇九年四月一日至二〇一二年三月三十一日，每天在《人間福報》頭版，撰寫「星雲禪話」專欄，當中有好幾則是蘇東坡與禪師的互動公案。我觀察到這位了不起的大文豪，老是在對談過程中理屈，想來禪師一定有更高明之處，佛法的深奧妙理，相信蘇東坡也為之歎服。因此，興起了今天的演講題目，想進一步研究蘇東坡的精采生命歷程。

我不是文學系畢業，也疏於寫文章，講說這個題目是有困難度，但人生總是要向自我挑戰、自我突破，這樣生命才能更加提升，如果內容有所疏漏，或是不圓滿之處，敬請各位讀者批評指教。

## 一、蘇軾和禪師的互動

蘇軾是唐宋八大家，是北宋時著名的文學家、政治家、藝術家、醫學家、美食家，善於書畫，是文學藝術史上的全才，至今仍為世人所稱頌，但是從典籍文章、禪門公案中，卻常看到蘇大學士和有修有證的禪師在機鋒對話中，都屈居下風。為什麼呢？

蘇東坡被貶職到瓜洲做太守（相當於市長），瓜洲（今江蘇揚州）在長江的北邊，和鎮江金山寺僅一水之隔。金山寺的住持佛印禪師和蘇東坡是好朋友，兩個人經常吟詩作對、參禪論道。

◆ 八風吹不動，一屁打過江。

一日蘇東坡在禪修上有所心得，很自豪地寫了一首「稽首天中天，毫光照大千，八風吹不動，端坐紫金蓮」的禪偈，叫書僮送給佛印禪師印可。結果，禪師卻回應了兩個字「放屁」。蘇東坡一看，火冒三丈，過江找禪師算帳。想不到，禪師已在恭候大駕，不等蘇東坡質問，就哈哈大笑地說：「學士，學士，您不是『八風吹不動』嗎？怎麼一『屁』就打過江了呢？」蘇東坡知道自己在禪境上，又輸了一截。

有一回，佛印禪師在金山寺登壇

說法，蘇東坡聞訊特地前往，到了現場已座無虛席。

禪師告訴他：「您來晚了，已沒有座位。」

蘇東坡反應靈敏馬上回答：「既然沒有座位，那就以您的四大五蘊之身為座吧！」

禪師反問他：「四大本空，五蘊非有，請問學士，你要坐在哪裡呢？」蘇東坡只得認輸，解下腰間玉帶永留金山寺。

還有一次，蘇東坡到湖北玉泉禪寺，特別去拜會承皓禪師，想考考禪師是否如外界所言，機鋒辯才了得。禪師看到他，向前招呼說：「請問高官貴姓大名？」

蘇東坡俏皮地回答：「我姓秤，專門秤天下長老有多重的『秤』。」

承皓禪師立即大喝一聲，然後說：「請問我這一喝有多重？」蘇東坡不知何以應對，歎服不已！

從以上三個公案，我們發現蘇東坡雖有過人的聰明才智，且習禪多年，領會不少佛法妙諦，但和得道禪師機鋒論辯，就略有遜色，為何如此？我們一起來看大師二〇一一年新春賀詞的開示，就可以明白了。

## 二、「巧智」與「慧心」的區別

大師對「巧智慧心」的開示：

**智慧，每個人多少都有一點，但那只是聰明，巧智就更為重要了。**
**有巧智，才能有靈性；有巧智，才能有活動；**
**有巧智，才能有美感；有巧智，才能有思想。**
**巧智有了，還要有慧心；**
**智慧，人都有一點，但智慧不是從頭腦生出來的，是從心靈啟發出來的。**
**有慧心，才能明白自己；有慧心，才能認識世界；**
**有慧心，才能洞察一切；有慧心，才能預知未來。**

根據以上三個公案，我試著以「巧智」及「慧心」做一個圖表說明：

| 巧智（蘇東坡） | 慧心（開悟禪師） |
| --- | --- |
| 有巧智，才能有靈性、活動、美感、思想。 | 有慧心，才能明白自己、認識世界、洞察一切、預知未來。 |
| 稽首天中天，毫光照大千；八風吹不動，端坐紫金蓮。 | 既然八風吹不動，為何一屁打過江呢？ |
| 既然此間無坐處，我就以禪師四大五蘊之身為座。 | 四大本空，五蘊非有，請問學士要坐哪裡呢？ |
| 姓秤！乃秤天下長老有多重的「秤」！ | 請問這一「喝」有多重？ |

從這個圖表可以看得出來，蘇東坡的佛法修為，和開悟高僧相比，的確略遜一籌了，所以大師說：「智慧，人都有一點，但智慧不是從頭腦生出來的，是從心靈啟發出

來的。」

什麼是「心靈啟發出來的」呢？就好像六祖惠能大師，聽到客人在誦念《金剛經》，當下就有所體悟，安置好母親，隨即前往黃梅求法。拜見五祖弘忍大師，有了一段「人雖有南北，佛性本無南北」的精采對話，五祖知道其根性很利，有意磨鍊他、考驗他，就叫他隨著大眾去作務，此時惠能說：「我心中常生智慧，不離自性，這就是福田，我還要做什麼事情？」這不就是從心靈啟發出來的智慧嗎？

後來五祖想傳授衣缽，囑咐大家送上自己習禪偈語，且說了一段意味深長的話：「大家趕快寫！不要停滯延遲！如果是真正覺悟到自己真如本性的人，當下就能提出自己的體證心得，不必經過思考衡量。這樣的人，即使在揮刀作戰的緊急關頭，也能於言語的當下，立刻見到自己的本性。」也就是說，如果你已經了悟自性，現在就有辦法呈上開悟偈語。因而惠能聽到神秀上座的偈語，當場就講出：「菩提本無樹，明鏡亦非台，本來無一物，何處惹塵埃？」這不就符合五祖的法語，也印證了星雲大師所說：「智慧，人都有一點，但智慧不是從頭腦生出來的，是從心靈啟發出來的。」

從六祖惠能大師的這幾則公案，讓我們更體會出「巧智」與「慧心」之間的不同，「巧智」雖有靈性、有活潑、有美感、有思想，但仍屬於「世智辯聰」，還不是真正的般若智慧，真正的般若智慧是從心靈啟發出來的，是去除貪瞋痴慢疑的那一顆心，是去除妄想與執著的那一顆心，所以大師說，有了「慧心」才能明白自己、認識世界、洞察一切、預知未來。

因此，蘇軾在機鋒論辯中會屈居下風，這也是正常的事情，因為開悟的禪師們「心中常生智慧，不離自性」，非從「世智辯聰」獲得的。因此我很大膽的將蘇軾的前半生歸屬在「巧智」的境界，但「烏台詩案」後，面對太多的人生苦難，蘇軾在佛道思想中，得到心靈的解脫及寧靜，此時自稱「東坡居士」的蘇軾，「慧心」漸漸滋長，最後的生命旅程可以說是「任性逍遙，隨緣放曠，但盡凡心，別無勝解」。

接下來，我想以「巧智慧心，談蘇東坡也無風雨也無晴的一生」，探討蘇軾人生的精采變化。

# 三、蘇軾的前世今生

蘇軾字子瞻，一字和仲，號東坡居士、鐵冠道人，生於北宋仁宗景佑四年（一〇三七年），歿於北宋徽宗建中靖國元年（一一〇一年），享年六十六歲。南宋高宗、孝宗分別追贈太師及賜諡號文忠，有《東坡全集》等傳世。有人說，蘇軾之所以那麼聰明，那麼有文采，可能和他是「五戒和尚」投胎轉世有關。

蘇東坡五十九歲時，再次遭貶至惠州（今廣東惠州）。在南遷路上，他拜謁六祖惠能大師駐錫的曹溪南華寺，在那裡寫了一首詩：「我本修行人，三世積精煉。中間一念失，受此百年譴。」大意是說，我本來是出家人，曾於過去世中，不斷地累積福德資糧，但因一時無明，起了貪染之念，因而落入凡塵，招來了這一生的憂患。此首詩還不足以說明蘇東坡前世是「五戒和尚」，但我們從幾段記載可以發現一些關聯性。

如蘇東坡在北宋神宗元豐七年（一〇八四年），奉詔離開黃州（今湖北黃岡）前往汝州（今河南臨汝）就任，因而先往筠州（今江西高安）探望被貶官至此的弟弟蘇轍。

◆ 蘇東坡被貶途中，曾拜訪惠能大師駐錫過的曹溪南華寺。

當時在筠州聖壽寺的雲庵禪師，夢到自己與同寺的聰和尚及蘇轍，三人一起出城門迎接五戒和尚。雲庵醒來後將此夢告訴了蘇轍，還沒開口回應，聰和尚出現了，蘇轍對他說：「剛才同雲庵談夢，你也是想來談作夢之事嗎？」聰和尚說：「是啊！昨晚夢見我們三人一起去迎接五戒和尚。」蘇轍拍手大笑道：「世上果真有三人做同樣一個夢的事，真是奇怪啊！」

不久，蘇東坡的書信到了，說他半天之內就可以抵達筠州。三人非常驚訝，開心地趕赴城外約二十里的建山寺相迎。蘇東坡到了以後，三人對他談起做了同樣夢境的事情，蘇東坡若有所思地說：「我八、九歲時，也曾經夢到我的前世是位僧人，往來陝右之間。還有，我的母親剛懷孕時，曾夢到一瘦高僧人來投宿，僧人風姿挺秀，一隻眼睛失明。」雲庵驚呼：「五戒和尚就是陝右人，一隻眼睛失明，晚年時遊歷高安，在大愚過世。」此事算算已近五十年，而蘇軾現年四十九歲，這個時間點真是巧合。

另外，蘇軾在杭州通判時，曾與僧人參寥子（道潛禪師）一起到西湖邊上的壽星寺遊歷，蘇軾環視寺境，對參寥子說：「我生平從沒有來過這裡，但眼前所見好像都曾經親身經歷過似的，從這裡到懺堂，應該有九十二級階梯。」便叫人去點數，果真如他所說。蘇軾對參寥子說道：「我前世是山中的僧人，曾經在此寺參修。」此後，蘇東坡便經常到這所佛寺中盤桓小憩。所以蘇軾在〈和張子野見寄三絕句．過舊遊〉一詩就說：「前生我已到杭州，到處長如到舊遊。」

以上這些點滴的事例，更可以說明蘇軾今生不管在詩學方面，還是佛學研究，都有相當深的造詣。他在當官的時候非常愛護百姓，縱然自己窮困潦倒，也要利益眾人，我想這就是他前世出家，今生仍受影響的一些證明吧。難怪清朝詩人袁枚會說：「書到今生讀已遲！」

另外，蘇軾出生地和佛教很有因緣。一家人住在眉州眉山（今四川眉山），眉山位於樂山大佛的北面，也位於峨眉山的東北面。加上他們父子三人都被列為「唐宋八大家」，因此當地市政府特別建造了一間「三蘇祠」（二〇〇三年十一月更名為「三蘇祠博物館」），且每年清明節在此舉辦紀念活動，可知對三蘇的重視，紀念會上官員還特別被要求背誦蘇軾的詩詞，可見對蘇軾的推崇啊！

## 四、蘇軾的庭訓

《三字經》說：「蘇老泉，二十七，始發憤，讀書籍。」講的是蘇軾的父親——蘇洵。他年少荒廢學業，遊手好閒，喜好遊山玩水，母親往生，中了科舉的哥哥回鄉奔喪，要他書寫遊歷的一些文章，卻發現不知道如何下筆，覺悟到自己一事無成，羞愧難當，在二十七歲才發憤讀書。隔了一年鄉試落榜，在妻子程氏的全力支持下，閉門苦讀，最後和兩個兒子蘇軾、蘇轍一起上京科考，同時考中進士，一時「蘇門三士」名動京師。

而在蘇洵用功苦讀期間，出身大戶人家的妻子程氏，不但沒有怨言，且承擔起所有家務，勤儉持家，教導孩子，不讓蘇洵操心。蘇軾小時候被母親安排去私塾讀書，那邊是一般的平民教育場所，和他一起讀書的孩童，大都是商人或農民子弟，也因此培養了他的庶民性格，使得他在少年時期就積極關心社會的人情風俗。所以，蘇東坡那種愛民如子、常幫助黎民百姓的性格，應該和他小時候的成長背景有關。

蘇軾是一個忠貞愛國、剛正不阿，充滿正義感的人，所以不能見容於爾虞我詐的官場。此種性格受其母影響頗深，因為她不但教導蘇軾、蘇轍兄弟讀書識字，且會分析史書上各種歷史人物的成敗得失，讓他們兄弟引以為戒，也漸漸的培養了他們的風骨節操。

有一天，母親在教導十歲的蘇軾讀《後漢書》，讀到〈范滂傳〉，蘇母深為范滂母子不畏權勢的浩然正氣所感動，不禁嘆息起來。年幼的蘇軾同樣被范滂母子的精神所感動，便問母親：「如果有一天，我跟范滂一樣，為了正義，不惜身命，母親會允許嗎？」程氏很認真地回答兒子說：「如果你以范滂為榜樣，我難道不可以效法范滂母親的成就大義嗎？」

范滂何許人也，讓他們母子有此動容的對話？范滂為官清廉，在漢靈帝時，專門揭發貪官汙吏的不當之處，因而得罪了權貴及官宦。有一次，他被人誣陷，抓捕他的官員不但不拘捕，反而對他說：「我跟你一起逃走！」但是被他拒絕：「不行！我跑掉，一來連累朋友，二來連累老母，三來顯得沒有骨氣。」後來，范滂的母親去大牢探望，對他說：「你留下好的名聲氣節，做娘的總算沒有白養你，娘已經滿足了！」這就是「范滂別母」的典故。

我之所以特別摘錄此段故事，就是希望讓各位家長知道家庭教育的重要。現在許多父母，以功利的方式教育子弟，要出人頭地、要賺大錢、要做大老闆、要攀龍附鳳等等。如果我們引導孩子追逐「名利」，而缺少生命教育、生活教育、品德教育，將來孩子長大以後，他難道不會用同樣方式對待父母、兄弟姊妹，社會許多家庭悲劇不就是這樣產生？

## 五、髮妻王弗

蘇軾十九歲時，娶了年僅十六歲的王弗為妻，婚後兩人生活十分美滿。王弗是一個聰明賢淑、知書達禮、很有才學，又是一位孝敬公婆的好媳婦。蘇東坡在看書時，每當看到有些地方忘了，王弗就有辦法告訴他出處來源。有時蘇軾跟她談論一些詩詞、古文，王弗也能對答如流。

蘇軾生性豪爽、沒有心眼，往往跟朋友們講話，會掏心掏肺地告訴對方，有時又太過心直口快，得罪旁人，甚至被小人利用。因而王弗有時會躲在珠簾後方觀察，等客人離開後，再告訴蘇軾她對此人的一些看法。

他的朋友當中，有一位是王安石重用的官員，叫章惇，他們兩個人年輕的時候就認識了，蘇軾常將心中的話告訴他，王弗就警告過蘇軾：此人熱情過度、善於逢迎，不可以深交，恐怕將來會對你不利。果然當章惇掌權，傷害蘇軾最深的也是章惇，因為他太了解蘇軾了。王弗真是一個賢內助啊！

可惜天命無常，陪伴蘇軾十一年的王弗（時年二十七歲），於北宋英宗治平二年（一〇六五年）往生，當時三十歲的蘇軾深受打擊。同在京師（今河南開封）的蘇洵，還交代要將王弗安葬於蘇軾母親的墓旁，從這個地方可以知道蘇洵對媳婦王弗的肯定與重視。

北宋神宗熙寧八年（一〇七五年），蘇軾已四十歲了，王弗病逝十年，在密州（今山東諸城）擔任太守的蘇軾，有一天晚上做了一個夢，王弗悄悄地走進了他的夢中。悲欣交集的蘇軾醒來以後，回想當年和夫人琴瑟和諧的美好時光，憶起夫人對他的耳提面命、共同面對憂患歲月，也想到遭受政治排擠的痛苦處境。深深埋藏在心底對王弗的思念，一下子湧上心頭，乃提筆寫下了千古第一的悼亡詞——〈江城子·乙卯正月二十日夜記夢〉：

十年生死兩茫茫，不思量，自難忘。
千里孤墳，無處話淒涼。
縱使相逢應不識，塵滿面，鬢如霜。
夜來幽夢忽還鄉，小軒窗，正梳妝。
相顧無言，惟有淚千行。
料得年年腸斷處，明月夜，短松岡。

短短七十個字，道盡蘇軾對妻子王弗十年來的無盡思念：我在山東密州，你在四川眉山，縱然想到遠在千里以外的孤墳祭悼，訴說我心中的淒涼悲傷，也是不可得。

即使我們可以相逢，相信妳不會認識我了，因為我四處奔波，垢穢滿面，年老憔悴，兩鬢已如寒霜的斑白。

在夢境中，我忽然回到了我們甜蜜相處的家鄉，看著夫人坐在窗前，對鏡梳妝。我有千言萬語要對妳傾訴，但卻欲語還休，不知從何說起，只有淚流滿面，無言相望。皎潔的明月，照耀在長著矮松的山崗上的亡妻孤墳，料想這是妳我年年痛欲斷腸的地方。

末句看似寧靜的景色，卻是蘇軾最深沉的哀痛。全詩表達了蘇軾孤獨寂寞、淒涼無助，滿腹的辛酸血淚，卻「無處話淒涼」，真是一篇悼念亡妻的傳世之作啊！

## 六、科考與出仕

北宋仁宗嘉祐元年（一〇五六年），二十一歲的蘇軾和弟弟蘇轍，跟隨著父親蘇洵上京（今河南開封）應試。隔年，蘇軾參加進士考試，以「刑賞忠厚之至論」為題，該論有濃厚的儒家愛民如子、體恤黎民百姓的觀念，此和母親的庭訓教導有關。內容也談到施行刑罰以忠厚為本，闡揚了儒家仁政思想，破除五代以來艱澀浮華之風。由於內文很踏實，成為流傳至今的佳作，亦被收錄在《古文觀止》。

因為文章寫得太好了，主考官歐陽修特別請來詩人梅聖俞閱卷，他們一致認定此文優異，本來要評選為第一名，但歐陽修的學生曾鞏也在此次同時科考，歐陽修認為可能是他的作品，為了避嫌，遂將此文評為第二。等到放榜後，試卷全部拆封，歐陽修才發現自己的判斷錯了，曾鞏反而列為第一。

雖然這是無心之錯，但歐陽修對蘇軾的推崇卻沒有減少，他說：「讀軾書，不覺汗出，快哉，快哉！老夫當避路，放他出一頭地也！」也就是說，看蘇軾的文章，真是一大樂事！我要想方法讓他出人頭地啊！也說：「此吾輩中人也，他日文章必獨步天下，只恐三十年後，人只知有蘇文，不知有我歐陽修！」歐陽修的心量寬大，提攜後進之作為，讓人佩服！

此次應試，一門三傑同時中舉，名震京師。就在等候分發就職的時候，突然接到母親往生的訊息，乃和父親、弟弟回四川眉山奔喪。

三年守喪圓滿，在北宋仁宗嘉祐四年（一〇五九年），二十四歲的蘇軾隨父親蘇洵、弟弟蘇轍搭船經過岷江入長江，趕赴京師，等候朝廷分發。一直到了嘉祐六年（一〇六一年），被派到陝西鳳翔府（今陝西寶雞）任簽判（相當於今之副縣長），同在京師等分發的蘇轍送蘇軾到鄭州，然後推算蘇軾何時會路過澠池（今河南澠池），因為此地是六年前他們父子三人赴京考試，曾經路過掛單之處。

所以蘇軾經過澠池，就接獲蘇轍〈懷澠池寄子瞻兄〉：「相攜話別鄭原上，共道長途怕雪泥。歸騎還尋大梁陌，行人已度古崤西。曾為縣吏民知否？舊宿僧房壁共題。遙想獨遊佳味少，無方騅馬但鳴嘶。」乃作〈和子由澠池懷舊〉相應和，這是此詩的來由。

**人生到處知何似，應似飛鴻踏雪泥；**
**泥上偶然留指爪，鴻飛那復計東西。**
**老僧已死成新塔，壞壁無由見舊題；**
**往日崎嶇還記否，路長人困蹇驢嘶。**

「人生到處知何似，應似飛鴻踏雪泥」，在抒寫人生就好像飛雁踏在雪地上，因緣時節到了就來了，緣滅又飛走了。來的時候在雪地上留下足跡，走了以後雪花仍紛紛飄落，最後什麼痕跡也沒有了。其實人生何嘗不是這樣，因為各種條件因緣的關係，一下子遷移到東，一下子又飄到西邊，搬來搬去，我們又留下什麼足跡？哪一個才是我們真正的家園呢？

另一個含義則是說明，你在漂泊不定的時候，也曾經在某個地方留下一些事蹟，等離開以後，還有多少人記得你曾經在那裡的一切呢？人生不就是這樣，居無定所漂泊不

◆ 人生到處知何似，應似飛鴻踏雪泥。

定，聚散無常。

蘇軾為何會有這樣的慨嘆呢？「老僧已死成新塔」這一段終於說明清楚了：我的弟弟啊，你記得嗎？在六年前，你和我跟隨著父親從眉山，到京城參加禮部秋天的考試。路途經過陝西的扶風（歸屬鳳翔，法門寺位於此地），進入河南，我們父子三人所騎的馬操勞過度，死在河南二陵也就是今天的崤山（在河南西部），只好勉強騎著跛腳的驢子到了河南澠池。

承蒙當地一間寺院的奉閑（一說奉賢）大和尚收留，我們才有個落腳處，稍稍解除了旅途的勞頓。

不幸的是，六年過去了，我再次路過澠池，要去感謝當時幫助我們度過難關的奉閑大和尚，到了寺院，看到我們共同在牆壁上所題的詩句已不復存在，因為此牆已經崩塌了，待我們不薄的大和尚也剛剛圓寂，我到新修的舍利塔祭悼，表達衷心的感謝！

還記得嗎？當年赴京路途那麼遙遠，山路又是那麼不平，人是那麼的疲憊，可憐的跛腳驢子，要承受那麼多行囊的重量，又要攀爬崎嶇難走的山路，難怪牠會發出痛苦嘶吼的叫聲！唉！人生不就是這麼聚散無常，這麼坎坷艱辛啊！

前一段表達了漂泊的人生，後一段表達了無常的人生，這就是有名的「雪泥鴻爪」典故。

## 七、患難與共的王閏之

蘇東坡才高八斗，個性耿直剛正，為人真誠，無法適應爾虞我詐的複雜官場，因而在北宋英宗治平元年（一〇六四年）任期屆滿，就辭官回開封，和父親、弟弟同住。

隔年，他的妻子王弗往生，蘇軾痛不欲生；一年後，治平三年（一〇六六年），父親蘇洵也往生了，他跟弟弟強忍悲痛，扶棺送父親回眉山安葬，居喪三年。

蘇東坡三十三歲再婚，娶了王弗的堂妹王閏之，她和蘇軾生活了二十五年，先後歷經了「烏台詩案」和「貶謫黃州」等最困頓的黯淡歲月，同甘共苦沒有怨言，是蘇軾在此段期間生活上最大的支柱。

王閏之四十六歲去逝，蘇軾悲痛萬分，寫下〈祭亡妻同安郡君文〉，其中有一句「惟有同穴」，表達了對王閏之不離不棄、患難與共的感恩之情及無限哀思。蘇軾往生後，弟弟蘇轍為蘇軾履行諾言，將他們夫妻合葬。

## 八、蘇軾再仕

北宋神宗熙寧二年（一〇六九年），為父服喪完畢，三十四歲的蘇軾上京任「殿中丞直史館判官告院」。此時，正值王安石推行新法，蘇軾並不是很認同，因此常上書批評，公開語言的交鋒論辯，他們不只在檯面上的衝突，私下也是常常相互暗鬥。舉個例來說吧：王安石著有《字說》一書，發明了一種漢字釋義方法，如「波」字是「水之皮」，因而蘇軾就故意問：「然則『滑』者，水之骨也？」

有一天，蘇軾去拜訪王安石，見桌子上有一首只寫了兩句的〈殘菊〉詩：「黃昏風雨打園林，殘菊飄零滿地金。」蘇軾心想：「菊花耐寒，經久不衰，說西風吹落滿地金，簡直文意不通！」於是提筆續寫：「秋花不比春花落，說與詩人仔細吟。」極盡嘲諷的意味。王安石回府，也不和他計較，等蘇軾被貶謫到黃州，一次大風過後見菊花紛紛下落，滿地鋪金，不禁目瞪口呆，方知自己所學有限，應當廣學多聞。

又有一天，蘇軾拜訪王安石，他在書房等候時，看到王安石書桌上有一首未完成的詩：「明月當空叫，黃犬臥花心。」蘇軾不以為然，心想明月那裡會叫，小小花心豈能容下一隻黃狗，真是胡說八道。所以他把詩句改寫為：「明月當空照，黃犬臥花蔭。」回家後還沾沾自喜、洋洋得意。

後來蘇東坡被貶到黃州，某夜忽聽到一種很奇怪的鳥叫聲，當地人告訴他這鳥喚作「明月鳥」，蘇軾恍然大悟。過了十幾年，他被貶到惠州，發現一種奇特的花蟲躲在花心上，當地人都叫牠是「黃犬蟲」，又是心頭一震。這時才知自己的孤陋寡聞，天外有天，人外有人啊！

從以上幾則小故事，可以知道蘇軾的性格太過剛烈，喜歡跟人爭鬥，又得理不饒人，相信這些都造成他在仕途上的障礙，也在人生路上碰到不少的波折。

## 九、請調杭州

熙寧四年（一〇七一年），蘇東坡因為反對王安石的激進變法，連帶與新黨的矛盾越來越大，因而他們就誣陷蘇軾利用父喪，扶棺返川，偷運私鹽，雖然查無實據，但蘇軾已厭煩這種勾心鬥角的官場生活，乃請調杭州，任職通判（相當於現今的副市長）。他帶著落寞的心情到杭州就任，雖然抑鬱，功課卻沒有荒廢，此時期他作了不少詩，比他在陝西鳳翔時期還多出了二點五倍，如〈飲湖上初晴後雨〉二首、〈六月二十七日望湖樓醉書〉五首、〈湖上夜歸〉、〈夜泛西湖〉五首等等。

最著名的是〈飲湖上初晴後雨〉：

**水光瀲灩晴方好，山色空濛雨亦奇。**
**欲把西湖比西子，淡妝濃抹總相宜。**

熙寧六年（一〇七三年），蘇東坡三十八歲，他邀約朋友同遊西湖，飲酒暢談。本來天氣晴朗，不一會兒工夫下起雨來，此時酒意正酣，蘇軾飽覽了西湖上晴和雨兩種截然不同的風光，詩興大發說：

「晴天的西湖，水波蕩漾，波光粼粼，折射出金色光芒，煞是好看；雨天的西湖，山中圍繞著朦朧雲霧，縹縹緲緲，若隱若現，又顯出另一番奇妙景致。西湖無論是晴、是雨，都是美麗動人。如果把西湖比作西子（西施），空濛的山色是她淡雅的裝飾，瀲灩的水光是她濃豔的粉脂，不管怎樣打扮，總能襯托出她的天生麗質和迷人神韻。」

從這時候開始，人們稱西湖為西子湖。

另有一說，這麼美的詩，其實是意有所指。當天蘇軾和朋友同遊，找來歌舞班助興，歌女王朝雲獨特的氣質，摻雜在濃妝豔抹的舞女中，如眾星拱月，顯得特別迷人，讓人難以忘懷，因而藉書寫此詩，暗喻王朝雲如同「西施」一般的美麗。

蘇軾於隔年納王朝雲為妾，她雖是歌女出身，但潔身自愛，善解人意，是蘇軾心靈上重要的伴侶。蘇軾被貶謫惠州，一日用膳過後，蘇軾問周遭的人，我肚子裡裝了什麼？有人說錦繡文章、有人說滿腹才華，王朝雲卻說：「學士一肚子不合時宜。」惹得蘇軾捧腹大笑，因為她點出了蘇軾不趨炎附勢、不逢迎拍馬、不隨波逐流，雖屢遭打壓，仍保有其風骨節操。

在顛沛流離、生活艱困的日子裡，王朝雲不離不棄地陪伴著蘇軾，但她身子孱弱，年僅三十四歲於惠州病逝。王朝雲篤信佛法，臨終前，口誦《金剛經》「一切有為法，如夢幻泡影，如露亦如電，應作如是觀」往生，足見在佛法上的用功。蘇軾撰寫〈蘇文忠公朝雲墓志銘〉特別提到：「浮屠是瞻，伽藍是依，如汝宿心，惟佛之歸。」以茲悼念。並將之葬於惠州棲禪寺，寺僧特別建亭於墓前，榜曰「六如亭」，如今此亭仍在。

# 十、再任杭州

這裡先將時空背景梳理一下，為何相隔十餘年，蘇軾再次回到杭州任職？元豐八年（一〇八五年），支持變法的宋神宗病逝，變法派失去後台，由年幼的皇子趙煦即位，是為宋哲宗，宣仁太后垂簾聽政，重用司馬光等昔日老臣，蘇軾也被調回朝廷效命。

本以為可以好好為國服務，但卻和司馬光等人意見不合，因為他們要廢除所有新法，蘇軾認為新法某些政策對國家、對百姓是有幫助，應該要保留，也就是這種就事論事、理性問政的態度，不見容於舊黨，在此無奈情況下，蘇軾只得再次請調。

因而在北宋哲宗元祐四年（一〇八九年），蘇軾五十四歲時，再次回到杭州，上次擔任通判，此次是知府（相當於市長），百姓都非常歡迎。在任期內，有一項重要政績就是修築「蘇堤」，又稱「蘇公堤」。那時的西湖三分之二以上是淤泥、亂象叢生，臭穢不堪，因為淤積堵塞得很嚴重，湖水溢出，危害鄉里，多數官員主張廢掉西湖，但蘇軾堅決主張要繼續保留，他認為：「杭州之有西湖，如人之有眉毛。」

到任的第一年，就遇上杭州大旱，饑荒、瘟疫同時發生，百姓生活困難，蘇軾沉著應對，想出許多辦法來解決問題。他上書朝廷，請求恩准減掉三分之一本來要上繳的米糧；又得到朝廷一百個「度牒」名額，以此換來米糧救濟貧困之家；他把修官舍的錢，用來買糧賑濟飢民，雖遇饑荒之年，杭州米價卻沒有高漲。

因為有功於杭州，當他離任後，許多杭州人自發性地掛上他的畫像，且吃飯之前還要祭拜祝禱一番。有些人覺得這樣的報答感恩還不夠，還修生祠，希望他長命百歲。總之，杭州百姓透過不同形式，感念蘇東坡的功績和恩德。一個人往生近千年，到現在還有人懷念著，可見蘇軾真的做到愛民如子，同時印證了「身在公門好修行」啊！

「蘇堤」是一條貫穿西湖南北的湖中大堤，是蘇東坡採用以工代賑的方法，召集了二十多萬民工，將挖掘出來的淤泥一點一滴填築完成的，現在是杭州市主要的交通要道之一。蘇堤不但帶來交通便利，且有防洪功能，另外兼具休閒的作用，每當寒冬過後，春暖花開，堤岸上的花草樹木開放得特別美麗動人，如今已成為西湖十大美景之一的「蘇堤春曉」。

「蘇堤春曉」為何這麼出名？我們從這首詩的描寫就能明白：「一樹翠柳一樹桃，燕子剪出綠絲條，造福人間留後世，三月春風蘇堤曉。」

蘇堤兩岸的特色，就是一棵垂柳，一棵桃樹，如此交叉地種植。當寒冬一過，楊柳吐翠，桃花盛開，春燕報喜，不就是「燕子剪出綠絲條」？又如明代楊周所說的「一聲啼過蘇堤曉」。

蘇堤的美景、蘇堤的功能，至今杭州人仍受其惠，不就是「造福人間留後世」嗎？「三月春風蘇堤曉」，因此每到陽春三月，柳絲輕揚，周圍的景色令人動心、陶醉。這是蘇東坡在杭州的貢獻，至今世人仍受其惠。

◆ 身在公門好修行，造福人間留後世。

# 十一、請調密州

北宋神宗熙寧七年（一〇七四年），蘇軾三十九歲，正值壯年。他在第一次杭州任期屆滿後，請調至比杭州更艱苦，也更寂寞的密州（今山東濰坊諸城）擔任太守（相當於縣市長）。但此地卻是一個遠離政治，不必面對人事紛擾的地方。那時，他重讀《莊子》，希望以全新的心態面對，並接納密州的生活。

在此同時，他寫了膾炙人口的詩詞。如前面已提過的〈江城子・乙卯正月二十日夜記夢〉，還有〈江城子・密州出獵〉、〈水調歌頭・明月幾時有〉都是令人回味再三的好文章。

熙寧八年（一〇七五年），密州遭受旱災，常山廟建造完成，蘇軾前往祭祀祈雨。回程，與梅戶曹在鐵溝會合狩獵，並學習騎射放鷹，豪興十足，因而寫下〈江城子・密州出獵〉，內容表示自己還老當益壯，朝廷有需要，隨時可以征戰沙場，奔放豪邁之情躍然紙上：

老夫聊發少年狂，左牽黃，右擎蒼，
錦帽貂裘，千騎卷平岡。
為報傾城隨太守，親射虎，看孫郎。
酒酣胸膽尚開張，鬢微霜，又何妨？
持節雲中，何日遣馮唐？
會挽雕弓如滿月，西北望，射天狼。

我雖年紀漸長，卻興起打獵的狂熱，展現出年少之人的豪情壯志，也表達出自己不是文弱書生。我左手牽著黃犬，右臂高舉著蒼鷹，頭上戴著華麗鮮豔的帽子，穿著貂皮做的衣服，帶著上千隨從，騎著馬匹，像疾風一般，席捲了山脊平坦的地方。為了報答滿城的人跟隨我這個太守出獵的濃情厚意，我要像孫權一樣，親自射殺猛虎，酬謝大家對我的鼓舞和支持。

我高興的暢快痛飲，酒酣耳熱，胸懷更加的開闊，膽氣更加的豪壯，雖然我兩鬢微白，這又有何妨？什麼時候皇帝會派使節下來，傳達我去保家衛國，守住邊防的使命，就好像漢文帝派遣馮唐持著符節，去雲中赦免魏尚的罪，讓他抵禦匈奴的侵擾。如果真有這麼一天，我一定使盡全身力氣，將雕弓拉出如滿月一般的厚實，看準西北西夏軍隊的方向，射向如惡狼一般的敵人。

蘇軾請調密州，另一個用意，因當時弟弟蘇轍正在齊州（今山東濟南）任職，既然官場不得意，父母、妻子王弗、姊姊蘇八娘都往生了，能夠到離弟弟較近的地方服務，將來多一些機會「把酒話桑麻」，是多麼美好的事情啊！哪知事與願違，他和弟弟蘇轍仍是緣慳一面。

中秋佳節本是家人團聚的時刻，轉眼多年了，蘇軾卻無法了卻這個相聚的心願。在北宋神宗熙寧九年（一〇七六年），蘇軾四十一歲這一年的中秋，他喝了許多孤獨的悶酒，面對一輪明月，只能嘆息，有感而發寫下了〈水調歌頭．明月幾時有〉這一首千古絕唱的詞，藉此懷念弟弟子由，另一面感慨自己人生的不幸際遇：

明月幾時有？把酒問青天。
不知天上宮闕，今夕是何年。
我欲乘風歸去，又恐瓊樓玉宇，高處不勝寒。
起舞弄清影，何似在人間？
轉朱閣，低綺戶，照無眠。
不應有恨，何事長向別時圓！
人有悲歡離合，月有陰晴圓缺，此事古難全。
但願人長久，千里共嬋娟。

我端著酒杯遙問蒼天，明月什麼時候出現？
我又想問，不知道天上的宮殿，現在是何年何月？（傳說天上一日，人間一年。）
我想駕馭清風飛奔天際，只怕瑰麗玉石雕砌成的廣寒宮，在九天雲霄，受不住清冽嚴寒，想想高處不勝寒，我還是在人間吧。（「歸去」表明自己是來自天上，現在要飛回去了。）

我聯想著，嫦娥在月宮中翩翩起舞，我也禁不住對月起舞，此情此景好像置身天上，哪裡像在人間？

月亮轉動它的身影，照亮了華美的朱紅色樓閣。夜深時分，明月低低地掛在雕花的門窗，照亮著心事重重的我，想著不能和弟弟相聚，又不見容於朝廷，輾轉反側不能安眠。

月兒！月兒！應該不會對人們有恨意吧！但為什麼常常要趁著人們離別的時候展現出那麼的圓滿？

人的遭遇，有悲傷、有歡樂、有離別、也有團聚；月亮呢，也會有陰、晴、圓、缺的變化，這種情況，自古以來都很難周全。只能祝願人們都能平安健康，雖然相隔千里，也都能共同欣賞這一輪明月。

# 十二、徐州生涯

北宋神宗熙寧十年（一〇七七年），蘇東坡四十二歲，四月調至徐州（今江蘇徐州市）任太守。當時蘇轍在商丘（今河南商丘）任通判，還陪他一起到徐州住了三個月。

蘇轍離開後，約在七月中旬，徐州豪雨成災，黃河堤岸潰決，到了八月徐州城危在旦夕，城裡富豪紛紛攜帶細軟，準備逃難，蘇軾擋住去路，曉以大義，告訴大家要一起堅守家園不要離開，否則會造成恐慌，且說「只要我在，水就不會沖毀我們的城池」，富豪們才乖乖返回。

接著蘇軾為了水患，組織了上千萬的抗洪隊伍，同時前往「武衛營」說服禁軍參與救災。抗洪期間，蘇軾身先士卒，帶領大眾築堤，並在城牆上搭蓋了簡單的草寮，屢過家門而不入，表現出自己抗洪決心，就在軍民團結一心，被洪水包圍了四十五天的徐州城，終於解除危機。據史料記載，此堤從戲馬台（今徐州市雲龍區）開始築起，一直到徐州城，長達九百八十四丈（約三公里多），高一丈（約三公尺）。這就是如今仍存在的「徐州蘇堤」。

朝廷聽到蘇軾抗洪成功，重重犒賞，但他功成不居，將朝廷的賞賜全部用於建設，補強不牢固的堤防，防止洪災再次來到，並且請求朝廷免除徐州賦稅，增築「外小城」，以加固內城的安全。

蘇軾在徐州短短的兩年間，不但抗洪災、建黃樓；勸農桑、抗春旱；挖煤田、煉鐵礦；醫病囚、改弊政；興旅遊、弘文化，深得徐州百姓愛戴。會舞文弄墨的文人騷客何其多，能夠留下經典文章詩詞傳世的也不少，但如蘇軾這般文武全才，又「敢為天下先」，心心念念為百姓謀福利的父母官真是鳳毛麟角啊！因而至今徐州百姓仍在傳頌：「古彭州官何其多，千古懷念唯蘇公！」此堤與蘇軾在杭州修築的「蘇堤」，可以相提並論，都是流傳千古的愛民之舉啊！

# 十三、有情有義的禪師

北宋神宗元豐元年（一〇七八年），道潛禪師至徐州拜訪蘇軾。在宴客時，蘇軾有意考驗他的禪功，乃喚一位歌女向道潛求詩，禪師二話不說，提筆寫道：「禪心已作沾泥絮，不逐春風上下狂。」意思是說我的心如同沾上泥土的柳絮，不會隨著春風到處飛揚。表明禪定功夫深厚，心境空靈寂靜，不被外境所動搖，也告訴好友，你的戲弄考驗對我不起作用的。

道潛禪師佛理、詩詞皆聞名，北宋哲宗賜號「妙總大師」。與蘇東坡知交二十餘年，除了有修有證，他也是一位有情有義的高僧。蘇軾因「烏台詩案」遭貶謫至黃州，道潛特別前往黃州探視，且居留一年的時間相陪。紹聖元年（一〇九四年）蘇軾流放南方，道潛連坐被罰，勒令還俗，但他沒有一點埋怨。在蘇軾被貶居儋州時，還打算渡海相隨，蘇軾顧其安危，寫詩勸阻，相約有生之年必定再見，兩人的情誼令人動容。北宋徽宗建中靖國元年（一一〇一年）道潛方得赦免，恢復僧籍及賜號。

古德曾說：「莫嫌佛門茶飯淡，僧情不比俗情濃。」這是說不要嫌棄佛門人情味淡薄，僧情看起來似乎沒有俗情濃厚，但是佛門重視的是「道情法愛」，如果你懂得在法上論交，在道上往來，就會發現其實是「俗情不比僧情濃」。由此也可見他們兩人惺惺相惜的道情法愛。

◆ 道潛法師〈景德寺轉輪藏記〉碑文拓本（局部）。此碑書法風格一如蘇軾大楷。

# 十四、烏台詩案

何謂「烏台詩案」呢？

烏台指御史台，漢朝御史台有一時期院中種了許多柏樹，終年有許多烏鴉棲息，故人稱御史台為「烏台」，因為烏鴉全身烏黑，也戲指御史們都是烏鴉嘴。蘇軾一案因詩而起，先由監察御史告發，後在御史台入獄受審，所以此案稱為「烏台詩案」。

北宋神宗元豐二年（一〇七九年）三月，蘇東坡四十四歲，從徐州調到湖州（今浙江省湖州吳興）。到了湖州，他照例給朝廷寫信，呈〈湖州謝上表〉感謝皇上的任用，結果他的真性情又流露出來，寫了一些牢騷話，一群和他有過節的監察御史，便羅織罪名說他的文章含有反對新法、諷刺朝廷，甚至對皇帝有所不滿，因此當年七月在湖州被捕入獄。

被押解上京審問時，湖州百姓淚如雨下的送別，途經揚州江面，蘇軾因害怕牽連家人跟朋友，曾想跳水自殺，夫人王閏之認為都是詩文所害，乃將許多文稿燒毀，可知情勢的危急。

在大牢裡，他受到審問，幾近不成人形，自認此關不容易度過，就寫信給家人交代後事。甚至告訴兒子蘇邁，如果皇帝要砍他的頭，就在飯菜裡面放一條魚。有一天蘇邁有事，委託朋友幫忙送飯菜，但忘了告訴對方此至關重要的訊息，結果那位朋友為了要幫蘇邁好好孝敬蘇軾，準備了豐盛的大魚大肉，蘇軾一看到魚，頓時嚇得臉色發白！因此，寫了〈獄中寄子由〉這一首詩：「聖主如天萬物春，小臣愚暗自亡身。百年未滿先償債，十口無歸更累人。是處青山可埋骨，他年夜雨獨傷神。與君世世為兄弟，更結來生未了因。」

從文意可以看出，蘇軾面對生死交關，驚慌失措的恐懼心情，但也可以看出他受到佛法薰陶的端倪——「與君世世為兄弟，更結來生未了因。」

在被抓進烏台候審的幾個月當中，幸賴司馬光等朝中大臣為他求情，連重病在床的曹太后也為他說情，甚至王安石也上書說「豈有聖世而殺才士乎？」神宗其實也是個愛才之人，乃判下死罪可免、活罪難逃的原則。

蘇軾在關押五個月後，同年十二月被貶謫到黃州（今湖北省黃岡）當團練副使（相當於警察局的副局長），這「官位」是個「有名無實」的閒差，而且朝廷還指令不可以簽署任何公文，且不可擅離黃州，形同軟禁。

當時因這個案受牽連的有駙馬爺王詵、司馬光、弟弟蘇轍等二十九人，也都被懲罰。但是湖州、杭州、徐州這些蘇軾主政過的地方，當地百姓還請僧眾為他誦經祈福，可知受到百姓的敬重。

為何蘇軾會被下放到黃州？有一說是因為蘇軾在鳳翔任簽判時，檢舉自己長官陳公弼貪汙，讓陳鬱鬱而死，御史李定、舒亶知道公弼之子陳慥（季常）住在黃州，一定恨蘇軾入骨，就想借陳慥之手修理蘇軾。這兩位御史只知其一不知其二，哪知蘇、陳二人竟是好朋友。

陳季常是誰呢？蘇軾曰：「龍丘居士亦可憐，談空說有夜不眠；忽聞河東獅子吼，拄杖落手心茫然。」陳慥，字季常，號龍丘居士，好談佛理，可以徹夜論談。其夫人柳月娥，乃河東（今山西省）望族大家閨秀，但脾氣很大，陳慥一聽到她的大聲叫喚，嚇得手中枴杖都掉落地上。獅吼本來是比喻佛陀法音，震懾魔軍，降伏煩惱，但蘇軾此詩的「河東獅吼」被後人比喻成兇悍的婦人；「季常之癖」變成怕老婆的意思，這些都是始料未及的地方。

## 十五、黃州：人生的轉折點

北宋神宗元豐三年（一〇八〇年）二月，四十五歲的蘇軾和長子蘇邁先到黃州，初到此地生活困苦、衣食不足，還要照顧一家大小，薪俸很少，連住的地方都成問題，乃暫居定惠院，隨僧蔬食，生活清苦，但因此跟佛教結上更深厚的因緣。至於蘇軾接下來黃州的歲月是如何度過？心性是如何變化？接著聽我一一道來。

元豐七年（一〇八四年），蘇東坡四十九歲，被調到汝州當團練副使，臨別之前，方丈繼連長老請他為安國寺作記，乃寫下〈黃州安國寺記〉，至今膾炙人口。

從此文，我們看到蘇軾這五年的心境轉變，除了在佛法方面的領悟，也能看出他如何從「巧智」慢慢昇華到「慧心」的過程。首先蘇軾提到他貶謫到黃州，安定生活以後，開始閉門思過，但發現要改正自己好發議論、針砭時弊的習性，幾乎是不可能。為了徹底剷除自己犯錯的劣根性，也就是要好好學佛，洗滌內心的汙穢，所以他才會說「盍歸誠佛僧，求一洗之。」

接著他說：我發現黃州城南邊有個安國寺，環境優美，因而每隔一兩天都會去焚香打坐，深切自我反省。在靜坐冥思的時候，常可以達到「物我相忘，身心皆空」，雖然我無法找到為何常犯錯的根源，但至少我能「一念清淨，染汙自落，表裡翛然，無所附麗。」

這表示蘇軾禪坐的時候，內心清淨，沒有雜念，無拘無束，自由自在，表裡如一，沒有什麼可以依附，自己感覺到非常法喜。也許是這個原因，蘇軾早上到安國寺，晚上回家，如此往還有五年之久。

從蘇軾打坐參禪的實際生命體驗中，我們可以說蘇軾的修持功夫已經進入「坐禪」

◆ 參禪打坐，觀照內心，一念清淨，染汙自落。

階段的「坐」了。如《六祖壇經》云：「善知識！何名坐禪？……外於一切善惡境界，心念不起，名為坐；內見自性不動，名為禪。」也就是說蘇軾在坐禪的時候，可以達到對一切善惡境界不起念頭，但在「內見自性不動」方面，他的功夫尚未到家，所以在往後的生命歲月中，仍然會被人我是非、權鬥傾軋等外境所干擾，但了不起的是他都能及時警悟，不會一直怨嘆下去，這不就是「慧心」已經漸漸滋長了嗎？

星雲大師在《六祖壇經講話》中解釋：「善知識！所謂修不動心者，如果能在見一切人時，不見他人的是非善惡、功過得失，這就是自性不動。善知識！愚迷的人，身體雖然不動，但是一開口便說他人的是非長短好壞，這就與正道相違背了。如果執著於心或執著於淨，就障蔽了正道。」因為蘇軾還是會在意人我之間的對待，所以說只到了「坐」的階段，還沒有到「禪」的境界。

蘇軾在此文亦寫到，安國寺繼連禪師擔任方丈已經七年，長老是一位德高望重、智慧高遠、道風儼然的大和尚，皇上親自頒賜袈裟。又過了七年，再次賜於法號的殊榮，長老覺得榮寵太厚了，因而提出辭退方丈一職，徒弟、當地父老都極力挽留，長老說：「知足不辱，知止不殆。」也就是說，知道滿足就不會受到侮辱，懂得適可而止就不會有危險。最後長老還是離開了，「我聽到以後，心裡有點慚愧，因為我還沒有長老的灑脫。」

蘇軾在安國寺期間，除了在禪修上面精進，又有繼連禪師能在佛理上請益探討，另外，安國寺炭薪充足，蘇軾每隔一段時間就會到安國寺梳洗一番。每當清洗身上的汙垢，蘇軾就當作是刷洗自己在人世間的榮辱，洗完之後披上衣服，在寺內參禪打坐，且達到某種深遠的禪境。可見安國寺真的是他人生的轉捩點，因而在安國寺留下不少詩文，如〈安國寺尋春〉、〈安國寺浴〉、〈應夢羅漢記〉等等，甚至就連長老繼連的居室，蘇軾也親自題寫了〈題連公壁〉。

## 十六、東坡居士的來源

蘇東坡被貶至黃州，剛來時暫居定惠院（黃州的城東），同年五月搬到城南長江邊上的臨臯亭。元豐四年（一〇八一年）二月，他的好朋友馬正卿，不忍看到他窮困潦倒，乃向官府申請了城東數十畝荒廢土坡，讓他可以在耕種之餘休憩、讀書、寫作，甚至和三五好友聚會談天論道。

終於在元豐五年（一〇八二年），他和夫人王閏之辛勤開墾，在大雪紛飛的時候蓋好房舍書齋，並在牆壁上畫上雪景，命名「東坡雪堂」；因為此地位於黃州的東邊，所以自稱「東坡居士」。所以蘇東坡之前的人生應該叫「蘇軾」或是叫作「子瞻」，四十七歲以後可以稱他為「東坡居士」了。

由於有了躬耕閱讀之處，蘇東坡寫了一首有聲有色的絕妙好詩〈東坡〉，透露出自己不畏艱難，樂觀面對的心境：

**雨洗東坡月色清，市人行盡野人行。**
**莫嫌犖确坡頭路，自愛鏗然曳杖聲。**

「雨洗東坡月色清」，表達出下過雨後，「東坡」的這一塊土地，被雨刷洗得非常乾淨，當月光映照在石頭上面的時候會閃閃發亮。此含義不就是說此地土質很差，都是石頭地，不適合耕種嗎？

「市人行盡野人行」，加上此地離開城市很遠，一般人走到山路的盡頭，就不願意繼續往前走，因為太過荒涼了，而早晚會在這裡行走的人，大概只有砍柴的樵夫，還有耕種的農夫吧。

「莫嫌犖确坡頭路，自愛鏗然曳杖聲」，前面兩句已經說明了「東坡」土地貧瘠、地處偏遠，但他卻不嫌棄「東坡」土石堅硬、路面崎嶇難行，也不擔心土地不適合種植。石頭再多，只要不斷以竹杖推開，就可以整理出一片適合耕種的土地，尤其在撥弄石塊的時候，所產生的清脆碰撞聲，就是一首悅耳動聽的交響樂章。所以當別人不耐如此惡劣的環境，他卻甘之若飴啊！

此詩說明了蘇東坡人生路上，雖然坎坷不斷，就好像大小石頭常常橫梗在他的面前，但他一樣保持開朗樂觀、隨遇而安的灑脫精神勇敢邁進，只要有空，還不忘找找友人尋幽訪勝，遊覽湖光山色。同年九月，他與朋友們出遊，歸來寫下〈臨江仙．夜飲東坡醒復醉〉：

**夜飲東坡醒復醉，歸來彷彿三更。**
**家童鼻息已雷鳴。敲門都不應，倚杖聽江聲。**

**長恨此身非我有，何時忘卻營營？**
**夜闌風靜縠紋平。**
**小舟從此逝，江海寄餘生。**

我和好友數人在「東坡」開懷暢飲，我們喝醉了，睡倒了，醒來以後又繼續喝酒，但又醉了，帶著酒意搖搖晃晃地回臨皋住所，此時好像已經半夜三更。回到家，我敲了老半天的門，卻沒有人回應，因為家中的侍童已經呼呼大睡，還發出如雷般的鼾聲。只好走去江邊，拄著木杖聽流水的聲音。

此時內心有許多感懷，我這個身不由己的軀體，老是被人任意使喚，真是讓人憤恨不平啊！自己什麼時候才能忘卻那種汲汲營營的官場人生呢？

就趁著深夜，江面風平浪靜的時候，駕起一葉扁舟，從此消逝，在江河湖海寄託餘生吧！

此詩寫出了蘇東坡當時的真實心境，想逃離殘酷的政治迫害、想擺脫名利的韁繩，想要獲得身心安頓的處所，寫出了渴望自由自在、超脫凡俗的出世心願。

隔天此詞已經傳遍黃州，徐太守得知訊息，大驚失色，因為蘇東坡仍是待罪之身，不得有失，連忙趕到臨皋住所察看，卻發現喝得酩酊大醉的他，仍是酒醉不醒。

## 十七、文學創作的巔峰

北宋神宗元豐五年（一〇八二年），蘇東坡四十七歲，為貶謫至黃州的第三年。這一年是文學史上的重要一年，蘇東坡除了九月寫了〈臨江仙．夜飲東坡醒復醉〉外，當年的作品非常豐富，至今都是受到各界高度評價的詩詞。如三月〈定風波〉、四月〈黃州寒食詩帖〉、七月〈念奴嬌．赤壁懷古〉、〈前赤壁賦〉、十月〈後赤壁賦〉。

元豐五年三月，蘇東坡在沙湖（在黃州東南三十里之處）購得一塊土地，七日這一天，他和幾位朋友相約去看地，走到半路碰到下雨，因為雨具都不在身邊，大家被淋得狼狽不堪，只有蘇東坡安然地在雨中散步，過了不久放晴，乃寫下〈定風波〉這一首詞：

**莫聽穿林打葉聲，何妨吟嘯且徐行。**
**竹杖芒鞋輕勝馬，誰怕？一蓑煙雨任平生。**
**料峭春風吹酒醒，微冷，山頭斜照卻相迎。**
**回首向來蕭瑟處，歸去，也無風雨也無晴。**

不用在意那穿越林木打在葉片上面的雨聲，我們不妨一邊詠詩歌唱，一邊悠然地行走。我拄著竹杖，穿著草鞋，輕便勝過騎馬。外在風雨再大，沒什麼可怕的。一身蓑衣任憑風吹雨打，照樣過我的一生。（這一段表達出此時的豁達人生態度，且豪氣萬千的表示，只要我一息尚存，有一處棲身之地，不會懼怕外在的風雨交加。）

微涼的春風，將我的酒意吹醒，身軀仍感覺到些許的寒意。此時山頭的落日斜陽，卻送來溫熱的暖意。（表達人生路上雖然坎坷，但還是感受到許多善心人士的送暖，讓我可以勇敢面對困境。）

天晴以後，我回頭望一望，剛才風雨交加的道路。該是回去的時候，原來回家的路上，既無風雨，也無天晴。（代表官場的榮辱得失，都將過去，何必去計較呢？明‧洪自誠《菜根譚》：「寵辱不驚，閒看庭前花開花落；去留無意，漫隨天外雲卷雲舒。」此時蘇東坡好像已經有此崇高境界了。）

◆蘇軾像

〈定風波〉的意境很高，每一個人多少會遇到風雨人生，如果能做到「也無風雨也無晴」，相信他的生命一定很恬淡、很豁達。所以我會定出「巧智慧心，談蘇東坡也無風雨也無晴的一生」的標題來。

但蘇東坡此種樂觀的心態，沒有保任很久，為什麼呢？好不容易安頓了生活，有房舍、有耕地，也找到沉澱心靈場地——安國寺。但在四月的寒食節這一天，卻碰到陰雨綿綿，柴薪也燒不起來，好不容易建立起的振作信念，此時一下子全被擊垮，所有這一段期間被打擊的鬱悶之氣，一下子全部發洩出來，乃書寫出「天下第三行書」——〈黃州寒食詩

◆〈黃州寒食詩帖〉

帖〉：

自我來黃州，已過三寒食。
年年欲惜春，春去不容惜。
今年又苦雨，兩月秋蕭瑟。
臥聞海棠花，泥汙燕支雪。
闇中偷負去，夜半真有力。
何殊病少年，病起頭已白。
春江欲入戶，雨勢來不已。
小屋如漁舟，濛濛水雲裏。
空庖煮寒菜，破竈燒濕葦。
那知是寒食，但見烏銜帋。
君門深九重，墳墓在萬里。

**也擬哭塗窮，死灰吹不起。**

自從貶謫到黃州，不知不覺已經過了第三個寒食節。每年都想留住春天，但是春去秋來，流逝的時間，哪能強留，令人嘆惜啊！結果，今年又碰上霪雨霏霏落個不絕，尤其到半夜，更是磅礴大雨，接連兩個月的天氣都是如此，就像秋天一樣的蕭瑟淒涼，陰濕清寒的房子，令人更加鬱悶發愁。

臥病在床的我，一籌莫展，只能無奈的聆聽，雨滴無情地拍打海棠，凋落的花瓣落入汙穢泥地，胭脂紅的海棠已被泥水浸潤得變成一片慘白。花朵經過一夜的摧殘，就像半夜被人強摘偷走，我想保護卻有心無力。海棠如同患病的少年，身心都受到劇烈創傷，身體漸漸康癒，但已經兩鬢斑白。

屋漏偏逢連夜雨，此時春天的江水高漲，強烈的雨勢襲擊而來，都已經快要淹到屋內來，讓人無法防備，我的小屋如同漁舟，籠罩在蒼茫的煙水中。

不但天候讓人困窘，室內的設備也是簡陋不堪。我的廚房空蕩，有的只是一座破損的爐灶，沒有柴薪，只能用受潮的蘆葦勉強燒煮一些寒菜。突然，看到烏鴉啣著冥紙飛過，才想到今天是寒食節。

此時我所有哀怨的情緒一下子湧上心頭，我一心一意想要回去報效朝廷，無奈君王的九重宮闕卻那麼深遠無法觸及；想要回四川眉山老家祭祖，盡點孝道，卻因有罪在身，不能離開黃州。在萬般無奈、苦悶至極的時候，想到了阮籍駕車漫遊，走到路的盡頭，便坐下來痛哭，為何沒有路了？我的心何嘗不是，窮途末路的我，心如死灰一樣無法重新點燃。

我們從〈寒食帖〉，看到「破竈」、「哭塗窮」兩段的文字寫得特別大，可以感受到蘇東坡此時將累積已久的悲憤及鬱悶之氣，一股腦兒地全部發洩出來。代表他已經窮途潦倒，家徒四壁，人生已經沒有希望，就好像燒成灰的柴火，無法再點燃了。〈寒食帖〉通篇氣韻瀟灑、自然，不拘格式，他是把自己滿腹的牢騷、痛苦，完全寄情於書法上了，讓他的書法有了生命。

# 十八、赤壁帶來三種不同風格的文章

〈寒食帖〉寫完以後，蘇東坡的生命開始有了轉變。是否完全由「巧智」轉成「慧心」，這個不敢說，但當他發抒了情緒以後，心情的確沉澱下來，加上他又常去拜訪僧人，相信他們一定給他很多智慧的啟發。我們看到蘇東坡沒有繼續怨恨，也沒有頹廢下去，他很快就站起來。

元豐五年七月，他去遊覽黃州城外的赤壁（鼻）磯，看到氣象萬千的自然美景，回想起過去種種，真是人生如夢啊！乃借景抒發情感，寫了〈念奴嬌．赤壁懷古〉。雖然真正的赤壁古戰場在湖北浦圻縣（今赤壁市），但對蘇軾這首詞作的流傳並沒有影響。

**大江東去，浪淘盡，千古風流人物。**
**故壘西邊，人道是，三國周郎赤壁。**

亂石崩雲，驚濤裂岸，捲起千堆雪。
江山如畫，一時多少豪傑。
遙想公瑾當年，小喬初嫁了，雄姿英發。
羽扇綸巾，談笑間，檣櫓灰飛煙滅。（檣櫓，一作「強虜」）
故國神遊，多情應笑我，早生華髮。
人生如夢，一樽還酹江月。

滾滾長江水，浩浩蕩蕩地朝著東邊流去。千古年來多少的英雄豪傑，建立了多少的功勛偉業，但因時間洪流的更迭，早已被沖刷得一乾二淨了。

在舊軍營的西邊，有人說，那是三國周瑜大破曹軍百萬雄師的赤壁。此地山勢險峻，陡峭的亂石，彷彿要插入雲霄。波濤洶湧的江水，不斷拍擊江岸，飛濺的浪花，如同捲起的千堆白雪，好似要把坡堤撕裂沖毀。

江山美得像一幅畫，那個時期有多少英雄豪傑湧現呢？

我想起了當日的周瑜，剛剛和絕代佳人小喬結為連理，雄偉的英姿，顯得特別的意氣風發、神采飛揚。他手裡搖著羽扇，頭上戴著青絲便帽，態度從容，閒談笑語間，把曹軍的無數戰艦燒成灰燼。

正當我神遊在三國古戰場的激戰中，人們卻譏笑我，東坡啊！你也太多愁善感了，壯年的時候就生出白髮，還在幻想著英雄豪傑的事蹟，你要放下啊！是啊！我真的太多情了，人生猶如一場夢，今日功成名就，明天一樣被「浪淘盡」，算了！算了！不要再痴想了，還是斟上一杯美酒，對著江中明月，向「千古風流人物」憑弔紀念。

蘇東坡豪邁創作的詞曲不多，〈念奴嬌．赤壁懷古〉是其中一篇，另外〈江城子．密州出獵〉也是。因而其詞與辛棄疾並稱「蘇辛」。

元豐五年的七月十六日、十月十五日，蘇東坡分別去了赤壁，寫了兩篇以赤壁為題的賦，第一篇稱為〈前赤壁賦〉，第二篇為〈後赤壁賦〉。

〈前赤壁賦〉敘述蘇東坡和客人在深秋的傍晚，泛舟於赤壁的感受。除了描寫江風水月，也藉著簫聲撫今追昔，表達了自己的胸襟抱負，及對宇宙人生的看法。全篇可以說從「樂」出發，緊接著「悲」的心情延續，最後以「樂」收尾，讓人感受到蘇東坡的矛盾情結。

何謂「樂」？明月當空，和客人把酒言歡；何謂「悲」？客人簫聲如怨如慕，如泣如訴，憶起一代梟雄曹操，雄圖偉業，如今安在？哀嘆人生苦短，無法像長江、明月的久長。如何又「樂」？領悟了「變」與「不變」之間的道理，同時領悟到造物者的無盡藏，是「取之無禁，用之不竭」，是你我都可以共同享用的。

〈前赤壁賦〉云：「惟江上之清風，與山間之明月，耳得之而為聲，目遇之而成色，取之無禁，用之不竭，是造物者之無盡藏也，而吾與子之所共適。」這一段話，真的太有哲理了，更看出佛教的思想，漸漸影響蘇東坡的人生觀。雖然他無法一下子全部落實，但「慧心」的昇華越來越明顯了，這對他往後不斷被貶謫，仍能隨遇而安是有幫助的。

「江上之清風」與「山間之明月」是誰的？不是皇帝的，也不是王公將相、富豪財主的，而是我們每一個人的！所以星雲大師主張「享有就好」的觀念，和蘇東坡此文的理念是不謀而合的。

什麼是「享有就好」呢？大師《般若心經的生活觀》提到：「我們懂得般若、認識虛空，你不必擁有，說是我的；你可以享有，我冷，晒晒太陽；我太熱，和風吹一吹……我覺得這個世間不一定要占有，不一定要擁有，用般若智慧『空』，都是我的。」

《佛光菜根譚．人間「就好」二十事》有更具體的說明：「萬物享有就好不必占有，衣服可穿就好不必名牌，三餐溫飽就好不必美食，居家舒適就好不必華麗，……金錢夠用就好不必貪多，人生歡喜就好不必擔憂。」

〈後赤壁賦〉敘述蘇東坡和兩位客人在初冬夜晚，再次走訪赤壁，一面飲酒、一面吟詩，好不快哉！此次不但泛舟，且登山攬勝，高聲長嘯，突然風起浪湧，感到悲傷恐懼，乃下山、上船，任小舟隨意漂流。夜半時分，孤鶴飛來。須臾各自散去，返回臨皋，呼呼大睡，夢一道人，穿著羽衣，問其遊興，驚覺莫非是昨夜之孤鶴也？

蘇東坡本來想從遊山玩水，擺脫政治上的紛擾，哪知登高望遠，看到風起浪湧，頓覺淒涼，應該是想到自己的處境，心靈上更加的哀痛。回到船上，孤鶴飛來，戛然長鳴，似乎在點醒我要放下，且要效法仙鶴那種超凡脫俗，自由自在的高貴、淡泊、優雅、孤寂的特質。夢中道士現身，不就表明了蘇東坡此時有隱居山林的心聲。

〈念奴嬌・赤壁懷古〉可以看出蘇東坡的豪邁性格，猶想效法豪傑，獻身沙場，旁人點醒，才承認「人生如夢」的現實。〈前赤壁賦〉借景抒懷，撫今追昔，充滿了哲理；〈後赤壁賦〉著重在景物描述，補充了〈前赤壁賦〉未盡之處，同時幽微感受到蘇東坡想羽化成仙、脫離凡塵的願望。

其實此看法，在〈前赤壁賦〉已可見：「挾飛仙以遨遊，抱明月而長終。知不可乎驟得，託遺響於悲風。」這不就表明了他有遺世獨立的想法嗎？但卻知道不可能實現，只好將這一份遺憾化為簫音，寄託在悲涼的秋風！

難怪清・金聖歎在《天下才子必讀書》中評論道：「前賦是特地發明胸前一段真實了悟，後賦是承上文從現身現境一一指示此一段真實了悟。」又說：「若無後賦，前賦不明；若無前賦，後賦無謂。」此評語把前後兩賦的異同和關係說得相當透澈。

總之，蘇東坡真是了不起，短短三個月之內，寫出三篇和「赤壁」有關的文章，且篇篇內容不同，篇篇精采萬分，同時我們也從這三篇看出蘇東坡在出世與入世選擇上的矛盾，以及佛老對他的影響。

## 十九、黃州是苦難的開始，也是智慧的巔峰

星雲大師《佛光菜根譚》說：「災難是一種考驗，逆境是一種增上緣。只要我們能通過考驗，災難有時反能激發我們的力量，開展我們的潛能，幫助我們成就另一番新事業。」

黃州這一苦難時期，蘇東坡雖生活困頓，但文學造詣卻登峰造極，人情上更練達，心境上更開闊。為何這麼說呢？我以時間序的方式列出蘇東坡在黃州的經歷，還有接下來的仕途變化，便可了解黃州為何是他生命中重要的轉折點：

| 年代 | 年齡 | 大事記 |
| --- | --- | --- |
| 北宋神宗<br>元豐三年<br>（一〇八〇年） | 四十五歲 | 二月，抵達黃州，寓居「定惠院」，隨僧蔬食。<br>五月，搬到新的住所「臨皋亭」。<br>認識黃州安國寺方丈繼連長老，每隔一兩日前往參禪論道。 |
| 元豐四年<br>（一〇八一年） | 四十六歲 | 二月，友人馬正卿為其請得黃州城東數十畝，使得躬耕其中，並將此地命名為「東坡」。 |
| 元豐五年<br>（一〇八二年） | 四十七歲 | 初冬，整地告一段落，將書齋稱作「東坡雪堂」，從此自號「東坡居士」。<br>三月七日作〈定風波〉，描述「也無風雨也無晴」的心境。<br>四月，書寫〈黃州寒食詩帖〉，哀嘆自己窮困潦倒的窘境，對人生已心如死灰，難以復燃。 |

| | | |
|---|---|---|
| 元豐五年（一〇八二年） | 四十七歲 | 七月，作〈念奴嬌．赤壁懷古〉，提醒自己「是非成敗轉頭空」，不要做夢了。<br>七月十六日，寫〈前赤壁賦〉與客泛舟赤壁，了悟「享有就好」的人生觀。<br>九月，作〈臨江仙．夜飲東坡醒復醉〉，寫出「隨遇而安」、「超脫凡俗」的心願。<br>十月十六日，寫〈後赤壁賦〉，點出想「羽化成仙」的思想。 |
| 元豐六年（一〇八三年） | 四十八歲 | 寫下〈東坡〉詩，紀念墾荒的無畏精神。<br>九月，王朝雲為他生下小兒蘇遯（一作蘇遁），滿月當天寫〈洗兒詩〉，道出人父希望孩子「無災無難到公卿」，也感嘆自己聰明反被聰明誤。隔年蘇遯病逝金陵，東坡悲慟不已！ |
| 元豐七年（一〇八四年） | 四十九歲 | 四月六日，應繼連長老所請，寫下〈黃州安國寺記〉。 |

| 元豐七年（一〇八四年） | 四十九歲 | 春後，奉詔離開黃州，赴汝州任團練副使。蘇轍因蘇軾的「烏台詩案」，被貶至筠州，所以蘇東坡先至筠州，與蘇轍共度端午節，同時點出蘇東坡前世是「五戒和尚」的因緣。<br>九月，路過金陵，拜訪當年政敵王安石，兩人相談甚歡，甚至他還邀請蘇東坡做鄰居，真是「相逢一笑泯恩仇」啊！所以當王安石往生，蘇東坡代表朝廷撰〈王安石贈太傅〉表彰荊公的成就。 |
| --- | --- | --- |

蘇東坡離開黃州，路過九江廬山時，與東林常總長老（黃龍慧南禪師之法嗣）深談，論及無情說法有省，乃作〈贈東林總長老〉；和總長老共遊西林寺，寫下〈題西林壁〉。另一首〈觀潮〉，據說是蘇東坡臨終前送給兒子的詩，說明了他一生從政的經驗。此三首詩常被並提，說明學佛者參禪悟道的三個階段。

〈題西林壁〉（參禪前或未學佛前）

橫看成嶺側成峰，遠近高低各不同；
不識盧山真面目，只緣身在此山中。

〈觀潮〉（參禪時或學佛以後）

盧山煙雨浙江潮，未到千般恨不消；
到得還來無別事，盧山煙雨浙江潮。

〈贈東林總長老〉（悟道後或理事圓融）

溪聲盡是廣長舌，山色無非清淨身；
夜來八萬四千偈，他日如何舉似人？

◆ 溪聲盡是廣長舌，山色無非清淨身。

以上三首偈語，和青原惟信禪師所說的參禪三重境界非常吻合：「老僧三十年前未參禪時，見山是山，見水是水。及至後來，親見知識，有箇入處，見山不是山，見水不是水。而今得箇休歇處，依前見山只是山，見水只是水。大眾，這三般見解，是同是別？有人緇素得出，許汝親見老僧。」

簡單地說，〈題西林壁〉應該屬於參禪前或未學佛前，是「看山是山，看水是水」的第一重境界；〈觀潮〉應該屬於參禪時或學佛以後，是「看山不是山，看水不是水」的第二重境界；〈贈東林總長老〉應該屬於悟道後或理事圓融，是「看山仍然是山，看水仍然是水」的第三重境界。

的確，這三首禪詩總結了蘇東坡不同時期的心靈變化。在「烏台詩案」之前，他是一個傲骨寒梅、剛正不阿、不隨流俗、固執己見、說話直白、聰明過人、爭強好勝，同時也是一個悲天憫人、善待百姓、熱心服務桑梓的好官員。也因為太優秀了，又常逞口舌之能，點出時弊，因而不見容於勾心鬥角、結黨營私、逢迎拍馬的官場。所以會說此段時期是屬於「巧智」的人生，是屬於「橫看成嶺側成峰，遠近高低各不同；不識廬山真面目，只緣身在此山中。」還沒有學佛的階段。

那麼何時是「慧心」的人生呢？蘇東坡之所以被貶謫，乃因文字、口舌的緣故，所以剛到黃州的那一段時間，他閉門不出，只是看書及研讀佛經排遣時間，縱然對時事有所不滿，也不敢發表評論，只有記錄一些佛法上的體會；也不敢如往日豪邁率性地喝酒，擔心酒興一來，發出不得體的言語，惹來不必要的麻煩，我們看出蘇東坡的謹言慎行及惴惴不安的心情。

此時期他除了擔心會被小人再次陷害，由於薪俸太低，生活困頓，自己也因為水土不服，心情鬱悶臥病在床，嘗到人情冷暖。後來在家人團聚、親友來信、好友造訪、有田躬耕，讓他的心情漸漸寬慰，加上常到安國寺打坐參禪，論說佛法，找到心靈出口，此時他才真正深入經藏，知道佛法的可貴。

自己深切反省，會被同僚排擠、會被讒言攻擊，都源自於自己逞一時口舌之快，又固執己見所致，雖找到禍根，但「悟」是一回事，實際「放下」、「做到」又是一回事。所以我們從黃州期間的詩詞歌賦，可以看出他的內心是多麼矛盾掙扎，想要歸隱山林，

摩訶般若波羅蜜多心經
觀自在菩薩行深般若波羅蜜多時
照見五蘊皆空度一切苦厄舍利子色
不異空空不異色色即是空空即是色
受想行識亦復如是舍利子是諸法
空相不生不滅不垢不淨不增不減是
故空中無色無受想行識無眼耳鼻
舌身意無色聲香味觸法無眼界乃
至無意識界無無明亦無無明盡乃
至無老死亦無老死盡無苦集滅道
無智亦無得以無所得故菩提薩埵
依般若波羅蜜多故心無罣礙無罣
礙故無有恐怖遠離顛倒夢想究
竟涅槃三世諸佛依般若波羅蜜多
故得阿耨多羅三藐三菩提故知般
若波羅蜜多是大神咒是大明咒是
無上咒是無等等咒能除一切苦真

卻又不時燃起報效朝廷的雄心壯志，如此反覆糾葛，經過幾年的釐清、整合、沉澱，他的心漸漸平息，漸漸找到了安心法門，此時才是「大死一番，再活現成」的珍貴體悟。

相信這對蘇東坡往後的宦海生涯幫助甚大，雖然他仍要面對變幻難測的官場，及曲折多變的仕途，但他知道「忍辱柔和是妙方」；也知道「有所為有所不為」，什麼是該堅守的原則，什麼是可以妥協的方便；當然他也知道「隨遇而安、隨緣生活、隨心自在、隨喜而作」。所以此時期是屬於「廬山煙雨浙

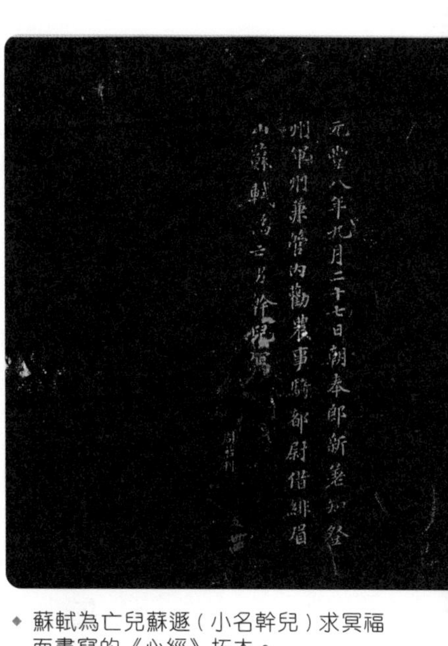


◆ 蘇軾為亡兒蘇遯（小名幹兒）求冥福而書寫的《心經》拓本。

江潮，未到千般恨不消；到得還來無別事，廬山煙雨浙江潮。」學佛後的階段，也是漸漸展開「慧心」的人生。

至於「溪聲盡是廣長舌」的人生，又是在什麼時候顯現呢？我的淺見，應該是被貶謫至惠州、儋州的時候漸漸有此跡象了。

## 二十、「隨遇而安」的惠州生活

元豐八年（一〇八五年），宋神宗崩殂，年僅九歲的哲宗繼位，因年紀尚小由高太皇太后執政，啟用司馬光等人主持朝政。蘇東坡也在北宋哲宗元祐元年（一〇八六年），從起居舍人（記錄皇帝日常行動與國家大事）升為翰林學士（撰寫重大國事的政府公文）。

因司馬光啟用舊黨人士，盡廢新法，蘇軾則以新法中「免役法」、「農田水利法」等確實對國家社會、黎民百姓有幫助，因此對部分新法保持肯定的態度。他更上書〈論役法差雇利害啟請畫一狀〉，以其曾身為地方官的實際體認，對「差役法」及「免役法」，在實際施行時所遇到的利弊得失，做了深刻的論述。

也因為這種就事論事、理性問政的態度，不見容於舊黨，在此無奈狀況下，蘇軾只得再次請調。元祐四年（一〇八九年），蘇東坡再次回到杭州，上任不久正逢大旱饑荒，仿白居易疏浚西湖，為杭州人民開西湖、築堤橋，如今成為西湖十景之一的「蘇堤春曉」。

此後幾年，蘇東坡先後出任潁州（今安徽阜陽）和揚州（今江蘇揚州）知府。元祐七年（一〇九二年），以兵部尚書被朝廷召回；隔年，夫人王閏之病逝。紹聖元年（一〇九四年），宋哲宗親政，用章惇為宰相，將以前反對新政的人全部貶謫，這就是歷史上有名的「元祐黨禍」。五十九歲的蘇東坡也在其中，被貶往南蠻之地的惠州（今廣東省惠陽縣），擔任寧遠軍節度副使，且不可以簽署公文。

這對蘇東坡是一個很大的汙辱，他也沒有在意。這時他已經年近花甲，由於路途遙遠，身邊眾多的人也都陸續散去，只有王朝雲始終如一，追隨著蘇東坡長途跋涉，翻山越嶺到了惠州。

當時的惠州，在經濟和文化上都很落後，生活條件也十分艱苦。但歷經黃州的磨鍊，蘇東坡對「八風吹不動」的認識，已經不再是「一屁打過江」的他了，他更體會「隨遇而安、隨緣生活」的奧妙。

如他在紹聖元年（一〇九四年）深秋到達惠州，看見驛站旁邊的樹木依然翠綠，便問迎接的小官吏，這是什麼樹？回答道：「是荔枝樹。」蘇東坡開心地說：「有荔枝吃便可安居嶺南。」由於此地溫暖，一年到頭瓜果不斷，因而在別人眼中的煙瘴之地，卻是他的洞天福地，因而蘇東坡寫下〈惠州一絕〉，表達出他的歡喜：「羅浮山下四時春，盧橘楊梅次第新。日啖荔枝三百顆，不妨長做嶺南人。」

隔年三月，道潛禪師擔心蘇東坡的生活情況，特派專人送信問候，蘇東坡幽默的回答：「其餘，瘴癘病人，北方何嘗不病，是病皆死得人，何必瘴氣？但苦無醫藥。京師國醫手裡死漢尤多。參寥聞此一笑，當不復憂我也。」

信的前面，除了說明看到禪師的信，開懷了好幾天，也說明自己的生活如同「和尚退院」，獨居生活，雖然艱苦，但是過得去。其餘的，就是這裡的濕熱之氣導致許多人生病，但話鋒一轉，其實哪個地方的人不會生病呢？北方人也會生病，得了病會死，不見得瘴癘之氣才會死人。又說，只是這裡缺少醫藥，其實京師的著名醫師，縱有醫藥、有醫術，也不能保證藥到病除。相信你知道我的心境，應該不會再為我擔憂了。

由此可以看出蘇大學士，已經可以過著隨遇而安的隨緣生活，他已具有「轉識成智」的功夫，不再是「講時似悟，對境生迷」的蘇東坡，而是具有「慧心」的蘇東坡了。

雖然蘇東坡以達觀的心態面對惡劣的環境，且有意在惠州終老，但老天爺似乎覺得他的苦難還不夠，又對他開了一個大玩笑。紹聖三年（一〇九六年）王朝雲病逝，從此蘇東坡不再聽〈蝶戀花．春景〉，因為一聽「枝上柳綿吹又少，天涯何處無芳草」，他又要觸景傷情了。

到了紹聖四年（一〇九七年），六十二歲的蘇東坡好不容易在惠州城東白鶴峰修建新居，此屋的西邊，是惠州西湖，東邊是茂盛的山林，佛寺、道觀掩映其間，寺觀的鐘聲清晰可聞，景色宜人，加上長子蘇邁也帶家眷前來相聚，於是有一天，蘇東坡詩興大發，寫了首〈縱筆〉詩：「白頭蕭散滿霜風，小閣藤床寄病容；為報先生春睡美，道人輕打五更鐘。」

此詩的前兩句，說明自己是一個臥病在床、白髮蒼蒼的老人，境況讓人鼻酸；但接著竟然說道人輕輕敲打五更鐘（凌晨三至五點），擔心驚擾我的大好睡眠。好一個悠哉瀟灑的處世心態、好一個隨遇而安的豁達心胸啊！

但萬萬想不到，這首苦中作樂的詩，竟給他惹來了大麻煩。很快此詩就傳到朝廷，宰相章惇看到「為報先生春睡美，道人輕打五更鐘」這兩句詩，渾身難受，大罵：「蘇軾尚且快活耶？」很快，一紙新的貶謫令「蘇軾責授瓊州別駕，昌化軍安置」便送到惠州，就這樣蘇東坡被貶至儋州（今海南儋縣）。

## 二十一、「也無風雨也無晴」的儋州歲月

據《儋州志》記載：「蓋地極炎熱，而海風甚寒，山中多雨多霧，林木蔭翳，燥濕之氣鬱不能達，蒸而為雲，停而在水，莫不有毒」、「風之寒者，侵入肌竅；氣之濁者，吸入口鼻；水之毒者，灌於胸腹肺腑，其不死者幾稀矣。」總之，此地非常荒涼、落後，且是朝廷流放死囚的「瘴癘之鄉」。在如此嚴峻的環境下，蘇東坡如何度過人生最悲慘的歲月？

紹聖四年（一〇九七年）六月，蘇東坡啟程前往被貶之地——海南昌化軍（今海南儋州市儋縣），途經瓊州府城（今海南海口市），借寓金粟庵（今之五公祠），看到百姓飲用護城河的水，覺得很不衛生，於是勘察了附近的地勢後，手指著某處告訴當地民眾：「依地開鑿，當得雙泉。」大家依照他的指引，果然挖出兩口井。其中一口井，水源充足清澈，噴涌出的泉水在水面形成小泡泡，形狀如同粟粒，命名為「浮粟泉」，歷經九百多年，至今泉水仍不溢不竭。

七月到了貶謫地，暫住破舊官舍，八月昌化軍使（儋州行政長官）張中崇仰一代大文豪蘇東坡，了解他的窘境，立即派兵修葺破舊不堪的驛舍，一起吃官糧，兩人還經常一起飲酒作詩，好不愜意。但好景不長，此事被章惇獲悉，乃於北宋哲宗元符元年（一○九八年）派湖南提舉董必巡察廣西，在雷州確悉蘇東坡住官舍、吃官糧，便派遣專使渡海去儋州，將蘇東坡逐出官舍。蘇東坡一下子頓失所依，開始過著「食無肉、病無藥、居無室、出無友、冬無炭、夏無寒泉」的悲慘生活。

為了有一個棲息之所，蘇東坡在城南的

◆浮粟泉，至今已歷九百餘年，有「海南第一泉」之稱。

桄榔林購得一地，有情有義的儋州人，非常同情他的處境，在張中的協助下，官民主動為其蓋了三間茅屋。雖然周遭環境仍是惡劣，居住條件仍是簡陋，但總算有一個安身之處，蘇東坡遂將此茅屋取名為「桄榔庵」（今儋州市中和鎮）。

張中因屢屢關照蘇東坡，尤其是派兵修葺驛舍，安置他們父子，於元符二年（一〇九九年）獲罪被罷官，此令蘇東坡惋惜不已，並以〈和王撫軍座送客．再送張中〉相贈：「胸中有佳處，海瘴不能腓，三年無所愧，十口今同歸。汝去莫相憐，我生本無依，相從大塊中，幾合幾分違。莫作往來相，而生愛見悲，悠悠含山日，炯炯留清輝。懸知冬夜長，不恨晨光遲，夢中無與別，作詩記忘遺。」

此詩在勉勵張中，世間萬象都是因緣和合，緣生則聚，緣滅則散，只要心中能夠超越世俗的憎愛、榮辱、得失、離合的憂喜、往來的執著，自然不會煩憂。看來東坡居士應該體悟了禪宗三祖僧璨大師〈信心銘〉的頭兩句話：「至道無難，唯嫌揀擇。但莫憎愛，洞然明白。」

有了遮風避雨的屋所，蘇東坡心更加安定了，為了報答鄉親百姓的真心相待，接著就是他造福鄉里、課徒教學的菩薩行。儋州的歲月，蘇東坡幫助鄉親們打了一口井，大家感念在心，將之命名為「東坡井」，如今仍在。當地缺醫少藥，相信殺牛可以卻病，他不但為其開藥方治病，還教導百姓種植黑豆，熬製成淡豆豉的中藥材，可以治頭痛傷寒，解瘴氣之毒，後人稱之為「東坡黑豆」。

還有黎族人不懂農耕，重視狩獵，便指導他們開墾荒地，種植水稻。蘇東坡不僅改變當地人的生產、生活習慣和習俗，還積極推動教育文化，使「蠻荒之地」綻放出人文的曙光。而在儋州流傳至今的東坡村、東坡田、東坡路、東坡橋、東坡帽等等，連語言都有一種「東坡話」，表達了人們的緬懷之情。

儋州是一個學風不盛的地方，有感於此，他和軍使張中拜訪黎族讀書人家黎子雲兄弟，商議共建學堂，以文會友，傳播中原文化。「載酒堂」建成之後，一時之間「書聲琅琅，弦歌四起」，文風興盛，瓊崖名士多慕名而來，拜師求學。儋州的學者相繼在此設帳講學，他也自編講義，自講詩書，以超凡的學識，播下文明的種子。一時西部儋耳成為當時海南文化的中心。到明代，官府將「載酒堂」改稱「東坡書院」。

蘇軾在儋州三年時間裡，先後培養出了一大批的飽學之士。據史書記載，海南歷史上第一個舉人姜唐佐、第一個進士符確，就是蘇東坡的得意門生。蘇軾獲赦北歸後，他的弟子連續考上功名，海南在宋朝共有十二位考取進士。到了明代，人口不足三十萬的海南，竟有六十二位登進士，五百九十五位中舉人。有名的清官海瑞，舉人出身，就是海南瓊山人。今天海南從一個「蠻荒之地」、「落後愚昧」的地方，能夠散發出如此璀璨的人文光芒，蘇東坡的奉獻是功不可沒的。

另外，我在前面提過，蘇東坡在惠州過著「隨遇而安、隨緣生活」的日子；在儋州更突顯出「隨心自在、隨喜而作」的生活。從暫住金粟庵，教導百姓挖泉；被逐出官舍，短暫過著餐風露宿，他也不以為意；有了安居之處，隨即展開造福鄉里、教學育才的菩薩行。不只這樣，蘇東坡也去走訪鄉野村夫、販夫走卒、僧道歌伎，從最基層處，感受到人間的質樸和溫暖。

例如：有時蘇東坡會坐在棋盤邊，看著張中和蘇過（蘇軾第三子）對弈不發一語，猶如入定，也從此中悟出「勝固欣然，敗亦可喜」千古不滅的棋道哲學。有時也會尋訪當地的寺院，清坐終日，「閒看樹轉午，坐到鐘鳴昏」，目的是要「斂收平生心，耿耿聊自溫」。此情此景就好像回到黃州安國寺「物我相忘，身心皆空」的禪境。相信這種修為功夫，是讓他內心安定，不受外境干擾的重要精神力量。也是他閱讀了《維摩詰經》，對「宴坐」佛理的實踐。

據《瓊州府志》卷四十四記載，被貶昌化的蘇東坡曾在田間遇到一位老婦，「家居儋城之東，年七十餘。」蘇公隨口問了一句世事如何？老人家回答說就像春夢一般。蘇公又問究竟怎樣？老婆婆稱：「翰林昔日富貴，一場春夢耳。」榮華富貴不過是一場春夢罷了，蘇東坡頗有同感，讚稱對方為「春夢婆」，並留有詩句：「投梳喜有東鄰女，換扇還逢春夢婆。」

此老婦和禪宗公案裡，那位問德山宣鑑禪師「要點哪個心」的賣餅老婆婆，有異曲同工之妙。也如同《六祖壇經》所言：「下下人有上上智。」相信此時蘇東坡真正體會「人生如夢，一樽還酹江月」，及「回首向來蕭瑟處，歸去，也無風雨也無晴」的含義，此時他的「慧心」更加昇華了。

元符三年（一一〇〇年）宋哲宗駕崩，宋徽宗即位，向太后垂簾聽政，下詔讓蘇東坡還京。受到愛戴的蘇東坡，門生故舊、鄉野村民，含淚送行，一直到海口，六十五歲的蘇東坡就此一去不復返了。

在北歸的途中，他又奉旨歷經幾個地方。五月路過金山寺，該寺方丈藏有十年前李公麟所作蘇東坡畫像，已經六十六歲的蘇東坡在畫像前佇立良久，回憶往事感慨萬千，於是寫下了他一生最後一首詩作〈自題金山畫像〉：

**心似已灰之木，身如不繫之舟。**
**問汝平生功業，黃州惠州儋州。**

「心似已灰之木」，說明此時的心境不再受外境困擾，內心已經寂靜無欲，也無有所求了。宋哲宗駕崩，宋徽宗即位，章惇干涉王位繼承，被貶至雷州，蘇東坡聲望正隆，有可能接相位，章惇的兒子章援擔心蘇東坡報復，懇求可以放其父一馬。蘇東坡此時已染病多時，仍回函敘說和章惇的四十多年情誼，好像沒有發生過加害之事，還囑咐他們要好好照顧其年邁的父親，多備一些藥物，自己可以治療，也可以惠及鄉里。

此段故事讓人感動，《佛說八大人覺經》：「第六覺知，貧苦多怨，橫結惡緣；菩薩布施，等念怨親，不念舊惡，不憎惡人。」蘇東坡的「不念舊惡，不憎惡人」，不就是一種心中寧靜不起波瀾的禪境嗎？

「身如不繫之舟」，表達了宦海浮沉，幾起幾落，都是不得已的，縱有報國壯志、造福黎民，也都無法實現了。

「問汝平生功業，黃州惠州儋州」，此段一改消沉悲觀的語調，雖然我的官運不佳、仕途不順、受到排擠、強安罪名、惡意流放，這些都不會把我擊倒，反而最苦的地方黃州（今湖北黃岡）、惠州（今廣東惠州）、儋州（今海南儋州），卻是我人生最快樂、最有成就、成長最多的地方。

因不堪旅途勞頓，年邁多病的蘇東坡不幸於北宋徽宗建中靖國元年（一一〇一年）七月二十八日卒於常州。往生前幾天，蘇邁、蘇迨、蘇過陪伴身側，蘇東坡告訴他們：

「吾生無惡，死必不墜，慎無哭泣以怛化。」意思是說，我一生沒做過壞事，死了一定不會下地獄，你們不要哭泣，讓我自然地死去。多麼平靜、多麼放下、多麼震撼的遺言啊。

崇寧元年（一一〇二年）六月，長子蘇邁與蘇轍按照蘇東坡的遺願，將停放在京師寺廟裡的王閏之靈柩，同葬於汝州（河南）郟城嵩陽小峨眉山。

## 結語

《維摩詰經》云：「譬如高原陸地，不生蓮華，卑濕淤泥，乃生此華。……煩惱泥中，乃有眾生起佛法耳。又如殖種於空，終不得生，糞壤之地，乃能滋茂。……是故當知，一切煩惱，為如來種。譬如不下巨海，不能得無價寶珠；如是不入煩惱大海，則不能得一切智寶。」

蘇東坡不就是在煩惱泥中，生出菩提花果來嗎？許多人在艱苦的環境下自艾自憐、自暴自棄，蘇東坡碰到逆境也是會有所怨言，或是一時的迷失，但他總是很快地調整過來，沒有讓哀傷駐足，勇敢的以智慧面對難關，以慈悲關懷眾生，接著又充滿正向的心態迎接挑戰，這是蘇東坡偉大之處，值得我們效法的地方。

我將他的生平事蹟鉅細靡遺地敘述，目的讓讀者做個比較，「烏台詩案」以前的蘇東坡是怎樣的為人處事，此案以後性格上又有什麼變化，從這個地方去分析蘇東坡如何從「巧智」提升為「慧心」，也可以作為我們修行上的參考。

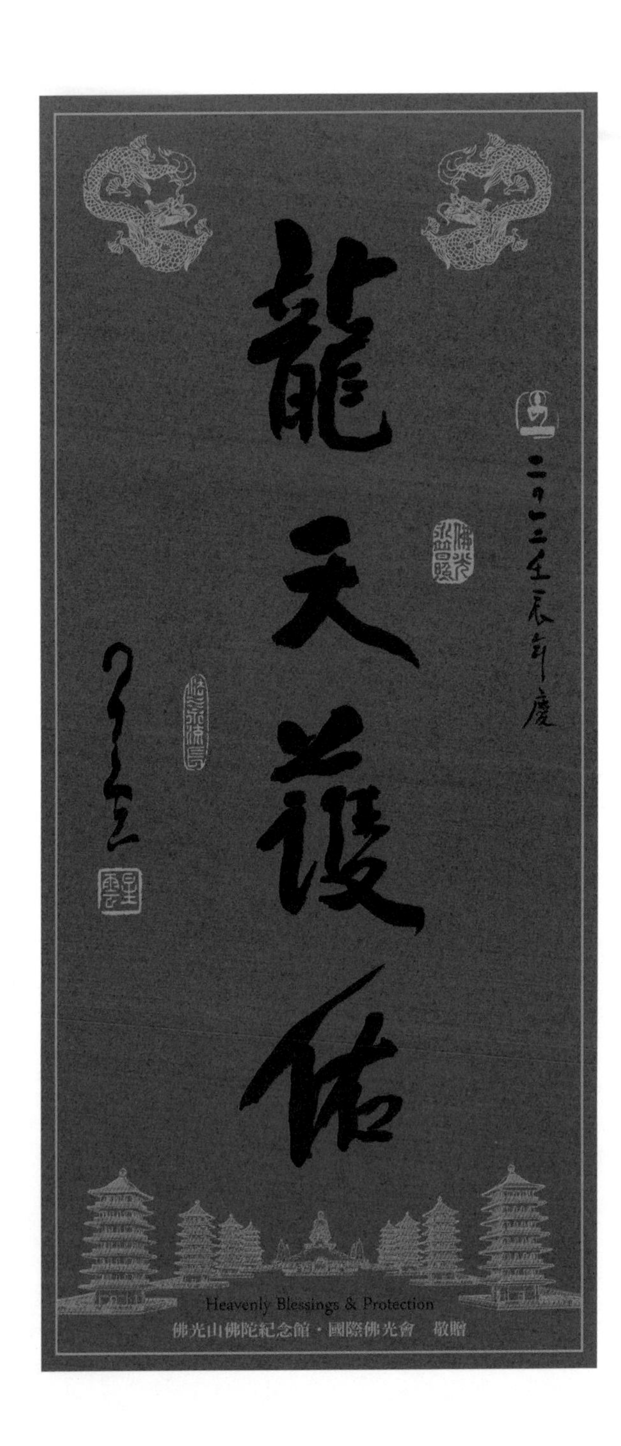


## 龍天護佑

龍是祥瑞的表徵，祈願佛菩薩暨諸天護法，庇佑人民安康，世界和平。

我們不只靠著龍天護法、諸天神祇
來消災免難、解除災厄，
我們也要變成護法龍天，護佑眾生，
成為別人生命中的貴人。

# 龍天護佑，如何成為他人生命中的貴人

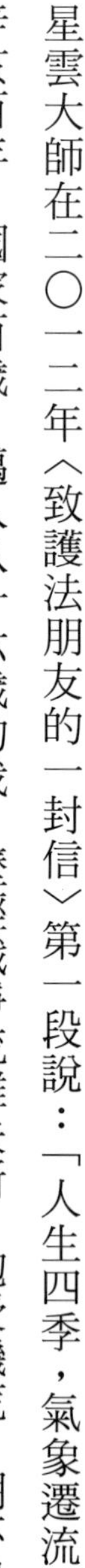

星雲大師在二〇一二年〈致護法朋友的一封信〉第一段說：「人生四季，氣象遷流，走過辛亥百年、國家百歲，邁入八十六歲的我，歷經戰爭流離失所，飽受饑荒、朝不保夕的時日，對於現有的安和樂利，備覺不易與珍惜。今年，我以『龍天護佑』，摯誠向佛菩薩暨諸天護法祈願，願人民慈悲，世界和平。」

另外大師也對新春賀詞做了說明：「尤其今年是龍年，龍是祥瑞的表徵，大家都希望有龍子龍孫、乘龍快婿；希望能乘龍飛翔、乘龍自在。龍，在佛教裡屬於天龍八部，他們發心護持佛教、護佑大眾。因此今年的春聯，我寫了『龍天護佑』，意思是我們靠天吃飯，希望龍天的力量來護佑我們。」

又說：「至於新聞輿論說，二〇一二年在經濟上的發展可能有一些困難，在我看來，這是不盡然的。因為經濟發展好不好，主要的，通知我們人要好、我們心要好；人好比錢重要，心好比什麼都重要。我們全世界的華人所孕育的中華文化，在新的一年裡，大家要振作，要努力，更加的奮發飛揚。把我們的人生，如國際佛光會提倡的『三好運動——身做好事、口說好話、心存好念』，做好身口意三業，一切就好。我們做好人、存好心，必定未來會吉祥、會更好！」

大師的新春賀詞有兩層含義，一是希望龍天護法可以護佑眾生，大家都能平安吉祥；第二層含義告訴我們要身做好事、口說好話、心存好念，成為慈悲的三好人，也期望我們能夠成為別人的龍天護法，助人又助己。所以我依大師的意旨，訂定出今年的演講題目「龍天護佑，如何成為他人生命中的貴人」。

◆ 龍是祥瑞的表徵，亦是護持佛教的天龍八部之一。

## 一、何謂龍天護佑

首先我們要了解，何謂「龍天」？

依據《佛光大辭典》所述：「龍天是指八部眾中之龍眾及天眾。即龍神諸天，為擁護佛法之善神，故有『龍天護法善神』之稱。」

八部眾所指為何？就是我們熟知的「天龍八部」。有哪「八部」呢？一、天，二、龍，三、夜叉，四、乾闥婆，五、阿修羅，六、迦樓羅，七、緊那羅，八、摩睺羅伽。這「八部」在佛陀講經的時候，他們都會出現聆聽佛法，且發願要護持正法。如果以現代的角度來說，「八部」相當於地方上仕紳，或是地方上有頭有臉的人物，他們起了帶頭作用，號召社會各界人士前來聽經聞法，甚至以自己的專業莊嚴壇場。

所以，我想針對大師的新春賀詞說明，及「天龍八部」的闡述，從兩個方向探討主題，一個是「護持佛法，護佑眾生」；另一個是「發心立願，做彼貴人」。

## 二、護持佛法，護佑眾生

剛才已經談過龍天就是「天龍八部」，而「護法」又是何義？

《佛光教科書‧佛教問題探討‧菩薩》敘述：「護法，乃保護佛法，維持正法的意思。護持佛法的善神稱作護法神、護法天，如梵天、自在天、帝釋天；帝釋即民間通稱的玉皇大帝、天公。此外，還有四大天王、三界二十八諸天、十二神將、鬼子母等。」

為何天龍八部及護法善神會護佑我們呢？以下分成四個方向來說明：

## （一）龍天護法和佛門行事

### 1.寺院每日的出食

寺院中午過堂吃飯，大家一起唱供養咒時，會有侍者手持出食器，走到住持和尚旁接過七粒米飯，再走到齋堂外面的「出食台」出食。此時侍者心中會默念：「大鵬金翅鳥，曠野鬼神眾，羅剎鬼子母，甘露悉充滿。唵穆帝莎訶。」然後三彈指，表示請諸鬼神眾安心享用。這首偈語到底是什麼含義呢？

「大鵬金翅鳥」是一種專吃龍的大鳥。龍王害怕極了，便求助於佛陀，佛陀給了龍王一件袈裟，交代牠分給每一條龍一縷袈裟線，繫在龍角上，如此大鵬金翅鳥就看不見了，此法果然奏效。但換來大鵬金翅鳥的抗議：「你幫了龍族，卻害了我族餓肚子，這豈不是要滅我大鵬金翅鳥族嗎？」

◆佛陀行化圖〈佛度鬼子母〉

佛陀莊嚴地說道：「只要你們不殺生，願意皈依三寶、受持五戒，我會指示我的弟子，每天出食送齋飯供養你們。」從此，大鵬金翅鳥，也就是天龍八部之一的「迦樓羅」，成為護法善神，而「出食」也成為佛門每天必要的功課之一。

「鬼子母」又是誰呢？鬼子母本是惡神之妻，生下五百個孩子，故稱鬼子母。因前世發了惡願，要吃掉王舍城所有幼兒，命終後投生為藥叉，常在王舍城抓小孩來吃。佛陀知悉此事，為了化導鬼子母，不讓百姓的悲劇一再發生，便運用神力將她最喜歡的小兒子藏了起來。鬼子母發瘋似的到處尋找，仍是找不到，就請求佛陀幫忙。

佛陀告訴她，妳有五百個孩子，今天只有被帶走一個就痛苦不已。但妳吃了別人家的孩子，難道他們不會悲傷痛苦嗎？此時鬼子母若有所悟，發願不再吃孩子，也皈依佛陀，並發願成為婦女安產及幼兒的保護神。佛陀交代弟子，用齋時也要供養她一份。鬼子母的故事傳到中國民間，演變成送子觀音、胎神、床神之說。

為什麼還要出食給「曠野鬼神眾」呢？過去空曠遼闊的原野，有惡鬼專門吃人，受了佛陀教化之後，便不敢再吃人了。所以佛陀交代後世佛弟子，用齋時也要供養他們。

從以上這些出食的故事，我們發現佛陀真的非常了不起，當出現異類眾生或是專門搗蛋的分子，不是將他們趕盡殺絕，而是以慈悲包容的力量降伏他們，甚至度化他們成為佛門護法神，最後達到「共生吉祥」。

## 2. 韋馱天將，菩薩化身

◆韋馱天將，擁護佛法誓弘深。

「韋馱天將，菩薩化身，擁護佛法誓弘深。寶杵鎮魔軍，功德難倫，祈禱副群心。南無普眼菩薩摩訶薩，摩訶般若波羅蜜。」這是每逢初一、十五，寺院早課會唱誦的〈韋馱讚〉。

當初羅剎鬼搶走佛牙，就是韋馱天將追討回來的。還有農曆過年，寺院都會「禮千佛」祈求諸佛菩薩，護佑加持一年平安順利吉祥，韋馱天將就是「賢劫千佛」中最後成佛者，名叫「樓至佛」。既然韋馱天將法力無邊，護持佛法，功德應該很大，為何會最後成佛呢？因為他是菩薩化身，具有「眾生度盡方證菩提」的精神，此種犧牲自己，成就他人的願力，令人敬佩！

星雲大師在建造美國西來寺時，特別在五聖殿的左邊設立韋馱殿，兩旁對聯書寫著：「將軍三洲施感應，寶杵六道降魔軍。」為什麼韋馱菩薩是在「三洲施感應」，而非四大部洲都護持？因為北俱盧洲太過享受，不受教化，為不聞佛法的八難之一。韋馱菩薩受佛陀的咐囑，鎮護東西南三洲（東勝身洲、西牛貨洲、南贍部洲）。當有邪魔外道侵害佛教、破壞佛法，韋馱菩薩的金剛降魔杵，會給予嚴厲制裁，讓佛法得以興隆。

### 3.寺院重要行事法會

民間習俗裡，農曆正月初九是民間玉皇大帝（俗稱天公）的誕辰，人們於此日會備辦豐富的牲禮祈福。但從佛教的角度，玉皇大帝在佛教中稱為帝釋天或釋提桓因，是屬於欲界忉利天的天主，常聽聞佛陀說法，是佛教的大護法。因此，在農曆初九或水陸法會期間，多安排有「供佛齋天」的佛事法會。「供佛齋天」以現代的話語來說就是「請客」，先供養佛法僧三寶，再禮請與我們有密切關係的諸天用齋，當然玉皇大帝也是其中一位座上賓。

所以，「供佛齋天」與「拜天公」兩者相較之下，前者自然遠較後者的功德更為廣大殊勝。因為三寶就像黑暗中的燈燭，大海中的慈航，火宅中的甘霖，能加被我們平安吉祥。

所以清．弘贊所集《供諸天科儀》云：「供天一法本出《金光明經》，修懺時，設供三寶、諸天。」《畫說水陸法會》介紹齋天意義則提及：「佛教徒雖不皈依諸天，然禮敬諸天。此諸天歸命佛且奉行正法，修諸善業，不作惡業之故。」從這個地方也可以看得出來，諸天除了皈依佛陀以外，以現在的話來說，他們平日都是在做好事、說好話、存好心，當然值得我們禮敬尊崇。

另外，「三皈五戒」典禮的「請聖」：「光明會上寄位諸天、梵釋四王、天龍八部、韋馱伽藍、土地城隍、諸大護法、護戒神王、金剛力士、幽顯靈祇。惟願，不違本誓，起駕蒞臨，慈悲喜捨，監壇護戒！」皈依時禮請護法龍天前來護持幫忙，不受外道天魔所干擾。

從以上說明，我們更明白諸天神明和我們的關係，除了祈求龍天護佑，也要學習他們護持佛法的願力。

## （二）龍天護法護持佛教事蹟

### 1. 梵天王：請佛住世

佛陀在菩提樹下成就無上正等正覺，想起救度眾生的大事因緣，心中自我思惟：「我所證悟的真理之法，和世人錯覺的認知是相違背的。他們因為無明執著，不能明白而毀謗無上之法，造下惡果，墮入無邊苦海，我不如涅槃，免得眾生造罪。」

當佛陀生起此念時，大梵天王感應到佛陀的心意，立刻前來祈求佛陀能夠慈悲住世，並說「沒有真理之光，世間將永遠黑暗；沒有法雨滋潤，眾生將無法解脫。請求佛陀本著救世的大願，傳播法音，讓迷途的眾生早日回頭，登上覺岸。」佛陀歡喜地接受天神至誠勸請，打消涅槃的意念，而以一生的光陰度化有緣眾生。

大梵天王的「請佛住世」是多麼重要的一件事，否則今天眾生將無佛法可以聽聞，世間將會是一片漆黑黯淡。所以我們也要效法大梵天王的精神，除了請佛住世、請高僧大德住世，還要效法星雲大師培養優秀的人才，讓他們續佛慧命，光大佛教。

### 2. 帝釋天：皈依佛門

前面已經提過，玉皇大帝在佛教被稱為帝釋天或釋提桓因，是佛陀的弟子，也常聽聞佛法。那麼他當初是什麼因緣皈依佛門呢？帝釋天雖是忉利天主，壽命也非常的長，但終有一天福報會享盡，身體會出現五種衰亡現象，一樣要投胎轉世，至於會輪迴到哪一道，就看福德因緣了。

有一天，釋提桓因驚覺象徵天人的五種德相漸漸消失，感到非常的害怕，趕快去找佛陀。那時佛陀在靈鷲山石室打坐入定，他一看到佛陀，立刻五體投地頂禮，請求佛陀為他皈依，頭都還沒有抬起來，神識已經離開了色身，墮落到一間製陶人家的母驢腹中。

此時，母驢的肚子一陣作痛，正巧綁著母驢的繩子鬆脫了，因而牠破壞了放在房間的陶器。主人非常生氣，拿了棍子打母驢，結果動了胎氣，造成流產，小驢子胎死腹中。就在這一剎那之間，帝釋天的神識又回到本體，仍是具備五德的帝釋天之身，跪在佛陀前。

此時佛陀為帝釋天皈依，為他講說無常之道及興衰禍福的變化，帝釋天聽了以後，歡喜信受，當下證得須陀洹果位，且發願護持佛法，保護佛弟子！

### 3.緊那羅：保護少林寺

《普門品》提到，觀世音菩薩常來娑婆世界為眾生說法，且顯現出三十三身來救度眾生。其實觀音菩薩不是只有三十三身，此三十三身表達了菩薩為度化眾生有無量無邊化身，所以經文說「應以何身得度者，即現何身而為說法」。少林寺大寮供奉了一尊「南無護法監齋菩薩」，應該就和觀世音菩薩有關。

《河南府志》及《少林寺志》記載，元朝有一群盜賊，名紅巾賊。賊首是劉福通，他帶著紅巾賊攻打少林寺。在岌岌可危時，突然看到廚房的典座師父拿著棍子衝出來說：「我乃緊那羅王也！」瞬間身軀變得很大，飛向天空消失不見了！紅巾賊一看不得了，少林寺裡竟然有如此武功高強的僧人，驚嚇之餘全跑光了。少林寺感念其護寺之功，建緊那羅殿，請他擔任護法菩薩，並在廚房供奉一尊「監齋菩薩」。

這一些紅巾賊，此時正需要以「緊那羅」之身得度，菩薩就以此身來度化這一群盜賊，不讓他們造下毀寺殺僧的重業，真是慈悲啊。

## （三）民間神明和佛教的關係

### 1. 媽祖和觀音菩薩

媽祖原名林默，福建莆田湄洲人，生於北宋太祖建隆元年（九六〇年）。從小茹素，信仰佛教，且與觀世音菩薩因緣深厚。

林家本來已有一男五女，但男生卻體弱多病，林母希望觀音菩薩能夠再賜麟兒。有一天晚上，夢到菩薩拿了一顆藥丸給她，不久就有了身孕，十月懷胎生下林默。因為她生下來不曾哭啼，反而微笑，故取此名。

林默大約四、五歲時曾到普陀山，從此過目不忘、聰明過人，有預知吉凶禍福的能力，且朝夕禮佛，孝順父母、敬愛兄姊，廣受鄰里讚賞。

林默從小特別具有悲天憫人的情懷。十三歲那一年，碰到一位衣衫襤褸的老道士來家裡化緣，她邀其入內喝茶，但老道士卻處處刁難，她仍誠心接待，老道士感其誠意，傳授給她「玄微祕法」，日後可以助人。

十六歲那一年，父兄出海捕魚，突然天候大變，狂風大作。此時，她正在織布，入定出神前往救助，母親不知緣由，喚醒林默。機緣已失，只救回父親，兄長遇難。第二天她隻身駕船出海，尋獲兄長屍體，帶回安葬。傳說她在二十八歲那年的重陽日，在湄洲嶼得道升天，從此大家尊稱她為「媽祖」。

媽祖一生，一直以大慈大悲、救苦救難的精神，行善濟世，遠近馳名，有口皆碑。也因媽祖從小就和觀世音菩薩有緣，又展露出慈悲心腸，所以有一種說法，觀世音菩薩是媽祖的老師；另外一種說法，媽祖是觀世音菩薩的化身。甚至我們可以說「應以媽祖身得度者，即現媽祖身而為說法」！

我被調派到美國西來寺服務期間，常有因緣和越柬寮的華人接觸，有時候也會被請到他們的集會場所講話，甚且獲邀為天后宮破土、開光，因而覺得好奇，為何越柬寮的華人對天后娘娘這樣崇拜？經詢問才了解，當越柬寮被赤化，許多華人紛紛走海路逃離家園，但海上的情況陰晴不定，有時狂風大作、有時巨浪滔天，甚至伸手不見五指。此時不論有沒有信仰，都跪在船上，虔誠祈求觀音菩薩及媽祖娘娘庇護，能度過無助恐懼的黑夜。

說也奇怪，菩薩好像聽到他們的祈求，有時在茫茫的黑夜看到觀音菩薩或媽祖身影出現，或看到漆黑的天空突然有一點亮光，船長馬力全開，駕著船急速飛奔，就這樣衝破險難，得到救度。所以越柬寮的華人對觀音菩薩及媽祖娘娘的信仰是堅定不移的，相信不僅是他們有這種感應，其他人也會有不同的際遇。

星雲大師尊崇媽祖救度眾生的事蹟，在北港朝天宮前董事長郭慶文先生邀請下，寫了〈媽祖紀念歌〉表彰媽祖，同時也寫了一篇〈媽祖，台灣的觀世音〉，敘述媽祖的慈悲言行，供世人憑弔，此文現收錄在《合掌人生》。

## 2. 關公和智者大師

《佛光教科書・宗教概說・附佛神祇的因緣》提到：「在《佛祖統紀》有關於伽藍菩薩皈依佛教的記載：智者大師到荊州（今湖北荊州），欲創精舍。一日，見關羽神靈告之，願建寺護持佛法。七日後，師出定，見棟宇煥麗，師領眾入室，晝夜演法。一日，神白師：『弟子獲聞出世間法，念求受戒，永為菩提之本。』師即授以五戒，成為佛教的伽藍護法神。」

後來智者大師上奏晉王楊廣，遂封關公為守護佛法的「伽藍菩薩」，與韋馱菩薩並稱佛教寺院的兩大護法菩薩。民間則以關雲長的「忠孝節義」供奉祭祀，為其建寺，稱為武廟、關廟。

大師在美國西來寺五聖殿的右邊設立伽藍殿，兩旁對聯寫著：「東西伽藍同時護，古今威德到處靈。」因為佛光山總本山在台灣，又到美國建西來寺，不管東方、西方的寺院，都需要伽藍菩薩護持。而伽藍菩薩從古到今，都是護持寺廟，到處顯靈，令人崇敬啊！

至於《三國演義》裡「玉泉山關公顯聖，洛陽城曹操感神」，就不在這裡特別說明闡述，不過清朝紀曉嵐《閱微草堂筆記》有一段記載倒是可以參考。黃河岸有一座顏良廟，規定十五里內不可蓋關帝廟。有一縣令不信邪，在顏良廟舉行廟會時，安排戲班子演三國雜劇，結果狂風大作，戲台棚頂被捲到半空中，又落下來，砸死了演員。方圓十五里內，瘟疫流行，人畜死亡很多。縣令也生場大病，差點死去。

原因是什麼？當然有人說這是顏良餘恨還在的關係，如果真的如此，若顏良也有高僧點化，成為佛弟子，相信屆時關羽、顏良會各自放下仇怨，「相逢一笑泯恩仇」啊！

### 3.三太子和道宣律師

道宣律師開創中國南山律宗，集律宗之大成，世稱「南山律師」。《宋高僧傳》提到道宣隱居在沁部雲室山，有人看見天童侍候其左右。又說，曾築造一壇場，有一長眉之僧人於壇上論道，此人就是賓頭盧尊者。後又有證阿那含果之梵僧讚歎道：「自佛滅後，像法住世，興發毗尼，唯師一人也。」

◆ 律宗祖庭——淨業寺，道宣律師於此開創弘揚南山律宗。

道宣律師戒行高潔，深受緇素敬重，甚至天人也對之欽服。據《佛光大辭典》「佛牙」條目記載：有一天晚上，道宣律師在西明寺行走，不小心從階梯上面跌倒，快摔下去的時候，好像有什麼東西扶住了他，沒有受到傷害，定神一看，乃一少年也。道宣問：「是什麼人這麼晚了還在這裡？」那少年說：「我不是平常之凡夫俗子，我乃毗沙門天王之子那吒也，護持和尚已經很久了。」道宣說：「貧道修行，沒有什麼事需要麻煩太子；太子威德莊嚴、神態自在，西域若有什麼事情可以做的話，我願協助幫忙。」太子說：「我有佛牙一枚，呈贈於你。」道宣律師便將佛牙妥為保護供養。

從以上這三段的說明，可以清楚看到，這些護法龍天有些是皈依佛陀，有些受到高僧大德點化，有些是菩薩的化身，寄身在寺院。無論是何種因緣關係，最重要的是他們都在護持佛法、護持道場、護佑眾生，讓佛法久住世間。

## （四）民間傳說成為廟宇來源

接著下來要談的神明就比較特殊，他們是從民間傳說成為廟宇來源。大師在《佛法真義．人創造神明》提到：「在一些地方性的民間宗教信仰當中，大都是以神明為中心；甚至於不入流的仙狐鬼怪，也都有人信仰。其實，這許多的神明、仙狐鬼怪，都不是舉世所公認的，而是一些少數人，為了人心、人性的需要而創造的。」

# 1. 十八王公廟的忠義之犬

新北市石門有一間廟叫「十八王公廟」。比較特殊的是，廟裡面供奉了狗的塑像，大家樂盛行的時候，幾乎各界人士都會來祭拜，且在膜拜、撫摸的時候還要念念有詞：「摸狗頭住大樓，摸狗身得萬金，摸狗嘴大富貴，摸狗尾賺傢伙，摸狗肚做好頭路，摸狗耳賺錢滿滿是，摸狗腳金銀滿厝腳。」

十八王公廟的啟建，緣起於清穆宗同治年間，有十七個人加上一隻狗要從大陸福建來台灣，經過「六死三留一回頭」的黑水溝（即台灣海峽）時，卻碰到大風大浪，結果發生船難，全部人罹難，只有一隻狗存活。

遺體被尋獲後，當地村民挖了一座墳，準備埋葬這十七個人，當坑洞挖好，準備要撥土埋葬，此時這一隻狗竟然跳入墓穴，撞石身亡！大家見此犬的「忠義之心」都非常感動，便決議讓牠和十七個人埋葬在一起。牠雖是一隻動物，因為牠的「忠義之心」，值得欽佩，配享祭祀。

## 2.北港義民廟的義犬將軍

北港有一間「義民廟」供奉「義犬將軍」，據說這隻狗會幫助爸爸媽媽照顧小孩。很特殊的是，義犬像的旁邊堆放著許多衣服準備加持，若小孩不乖，帶回去穿了就會變乖。為何這麼神奇？

相傳清朝乾隆年間，爆發「林爽文事件」，林爽文與天地會以「反清復明」為號召，在雲林北港發動抗清民變。當時，雲林北港鄉親組成義民團對抗，團員據說有一百零八人和一隻狗。林爽文發現久攻不下這個村莊，主要原因是那隻狗，因為牠是一隻非常有靈性的猛犬，面對敵人的時候，不僅會事先預警，且善於作戰，兇猛異常。不過在最後一次的戰鬥中，義犬和義民團一同犧牲，當地村民為了感謝義犬勇猛護主、對抗敵軍，乃將其與義民團合葬、共同祀之，並封為「義犬將軍」。清朝廷也頒贈「旌義」金匾，以表彰鄉勇協助政府平亂有功。

## 3.福建棲林寺的豬母墓

前面的兩個故事，都是和狗有關，因為牠們的忠義之心，感動了眾人，所以才會建廟祭祀。但豬死掉，會為牠埋葬建墳，且墓碑清楚寫著「豬母墓」（豬母在福鼎方言中就是國語的母豬），其上方寫著「柯嶺棲林寺」（柯嶺村乃福建寧德一個村莊），代表此墓和寺院有關，真是前所未聞。

棲林寺建於唐玄宗時期，到宋朝已經破敗不堪，僧人們想要翻修，但苦於資金不足。當時寺廟裡豢養著幾頭放生豬，僧人們每天都會留下一些剩菜剩飯，只要敲一敲鐘，豬就跑過來吃。有一天，僧人們敲了半天鐘，卻發現一隻老母豬不見了。後來僧人在後山看到了這一隻老母豬，但奇怪的是，牠使勁地用鼻子挖土，還發出哼哼的叫聲。

僧人們湊上前去看看怎麼一回事，發現到母豬所挖掘的地方有三個罐子，打開一看，不得了了，裡面裝滿了銀子。這一筆意外之財恰好解決了寺廟翻修的問題，為了感謝這一隻老母豬，在牠死後，僧人們給予厚葬。墓碑上寫的時間為「北宋政和辛卯年十一月初六」，也就是西元一一一一年，距今已有九百多年，因老母豬有功於棲林寺，歷任住持都會在清明時節掃墓。

從這三個故事，可以了解到兩隻義犬被供奉膜拜的原因，牠們都是忠義之心讓人敬佩，所以建廟祭祀，且在日後產生了一些民間需求有關的連結，如發財、富貴、安定小孩、尋找孩童等事情，真是不可思議。而這一隻老母豬，卻是有功於廟，所以九百年來仍有人掃墓祭拜。時至今日，慎終追遠能夠有個三、四代都已經了不起了，但牠卻被棲林寺僧人照顧了九百多年。從這個地方可以看出：你有忠義之心、有利人善舉，大家便會懷念不已，甚至像神明一樣供奉起來膜拜。

所以星雲大師在《佛光教科書．佛教問題探討．菩薩》敘述：「信仰是一種出乎本性，發乎自然的精神力，自有人類歷史以來，就有宗教信仰。中國傳統的民間信仰，起初是緣於對大自然現象的不了解而產生敬畏的膜拜，或對特殊貢獻者產生英雄式的推崇。如果將中國民間信仰的神明組織起來，就好像人間的政府制度。例如：為求兒女聰明，拜文昌帝君，如教育部長；為求出門平安，拜天上聖母媽祖，如交通部長；為求發財，拜財神爺，如財政部長；為求民生安樂，拜城隍爺，如縣市長。其他還有土地公，如派出所主管；月下老人，是婚姻介紹所；註生娘娘，是助產士等。」

從大師的開示可以看到，許多神明是人所創造的，所以大師在《佛光教科書・佛教常識・民俗神祇》一文提到，神祇信仰的產生可以分成四種，一是敬畏自然、二是崇拜英雄、三是尊奉祖師、四是有所求故。也就是說當人們對變化無常的自然現象不了解，或是在政治上不能獲得滿足，或因自己力有未逮，不能解決現實生活中的問題，於是便希望藉著另一種偉大的力量來化厄解困。因此，信仰神祇其實也含有一種超越現實的希望與期待。

但不論神明是如何產生，佛教不但沒有排斥，反而加以尊重、包容、接受，最後在佛菩薩、高僧大德的點化下，成為護法善神，且發願護持佛教、護佑眾生。所以大師說佛教是一個具有包容性的宗教，雖然承認民間神祇之說，但不以神祇為信仰或皈依的對象，因為神祇也是六道眾生之一。

另外，此文亦闡明信仰的意義：「其實，信仰的最終目的，是要指引我們人生的方向，幫助我們解脫生死煩惱。而信仰神祇既不能幫助我們解脫生死，也不能增加我們做人的智慧、道德、勇氣，所以我們應該提升信仰，從有所求的神祇信仰昇華為菩薩道的實踐，從慈悲喜捨，為人服務中，開發自己的佛性，進而解脫生死煩惱，這才是正信的宗教。」

所以，大師在《迷悟之間．我是財神爺》有一個新的見解：「財神是誰？財神當然就是吾人自己！我的雙手勞動，辛勤奮發賺錢，雙手就是我的財神爺；我的雙腿勤於走路，開發財源，雙腿就是我的財神爺；我耳聰目明，我滿面笑容，我口中多說好話，我肯得向人點頭示好，它們都能為我帶來財富；我的五根六識，不就是我的財神爺嗎？」

大師的這個觀念，等於提升我們的信仰層次，讓我們從「求」的信仰，變成「給」的信仰，讓我們「求財神，拜財神，不如自己做個財神爺」。這樣的財神爺除了財布施以外，還要能夠做到法布施、無畏施。此時不就是做到「應以財神爺身得度者，即現財神爺身而為說法」。

## 三、發心立願，做彼貴人

從前面「護持佛法，護佑眾生」所敘述的內容，可以看出龍天護法、諸天神祇和佛教的關係。接下來要探討「發心立願，做彼貴人」，目的在告訴各位讀者，不要老是靠著龍天護法、諸天神祇來消災免難、解除災厄，而是我們也要變成護法龍天，護佑眾生，成為別人生命中的貴人。

### （一）願心昇華

《勸發菩提心文》有這麼一段話：「嘗聞入道要門，發心為首；修行急務，立願居先。願立，則眾生可度；心發，則佛道堪成。苟不發廣大心，立堅固願，則縱經塵劫，依然還在輪迴，雖有修行，總是徒勞辛苦。故《華嚴經》云：『忘失菩提心，修諸善法，是名魔業。』忘失尚爾，況未發乎？故知欲學如來乘，必先具發菩薩願，不可緩也。」

我們要如何發心立願呢？我覺得星雲大師在《往事百語．願心的昇華》，將發心立願分成四個階段，很適合我們學佛者效法學習。茲摘錄其文，讓大家更深入了解發心立願的層次，及大師的心路歷程：

### 第一個階段：二十歲以前

「二十歲以前，我與一般人一樣，匍匐在香煙裊裊的佛殿中，誠心祝禱：

慈悲偉大的佛陀！

慈悲偉大的觀世音菩薩！

請您加持，

賜給我慈悲，讓我能息滅貪欲瞋恚；

賜給我智慧，讓我能除去痴暗無明；

賜給我勇氣，讓我能衝破一切難關；

賜給我力量，讓我能順利學佛求道。」

大師這個階段的祈願，我們可以定義為「請佛加持」的階段。加持誰？加持「我自己」。我們學佛的信徒，很多人還是處於這個階段，如果你一直祈求神明慈悲護佑，也是屬於這個階段。

## 第二個階段：二十歲以後

「每天在朝暮課誦之後，我都這樣地祝禱，心裡覺得：如此的祈求是理所當然的。但二十歲以後，我從佛學院結業出來，忽然一個念頭閃入心中：我每天向菩薩求這求那，都是為著自己，豈不太自私了嗎？如果每一個佛弟子都像我一樣貪得無厭，諸佛菩薩為了滿足我們的所求，不是忙碌不堪嗎？自此以後，每當禮佛誦經、講經說法等各種功德佛事圓滿之後，我的祈願內容有了改變：

慈悲偉大的佛陀！

慈悲偉大的觀世音菩薩！

請您加持我的父母師長，讓他們福壽康寧；

請您加持我的親朋好友，讓他們平安吉祥；

請您加持我的有緣信徒，讓他們事業順利；請您加持一切功德護法，讓他們福慧增長。

佛陀垂目含笑，似乎是在嘉許我的進步，我自覺心安理得，因為我不再自我需索，而是為別人祈求。」

二十歲以後，大師不再只有為自己祈願，而是為父母師長、親朋好友、有緣信徒、功德主祈求，請求佛陀加持保佑他們。代表大師更擴大了心胸，但仍是有所求的階段。許多信徒來到寺院，或在自己家裡的佛堂，也是在祈求自己的孩子平安順遂、先生事業發達。

## 第三個階段：四十歲以後

二十歲以後，大師的人生經歷許多曲折變化、許多的折磨苦難，大師的發願又有所變化：

「就這樣慢慢地到了四十歲之後，有一天，我反觀自照，略有所得：過去所有的祈願也是自私自利，不盡如法啊！因為我請求佛菩薩庇佑的對象，無一不是圍繞在『我的』這兩個字上面，這仍然是一種自私的貪求。從四十歲到五十歲，我的祈禱有了一番突破：

慈悲偉大的佛陀！
慈悲偉大的觀世音菩薩！
祈求您給世界帶來和平，
祈求您給國家帶來富強，
祈求您給社會帶來安樂，
祈求您給眾生得度因緣。

每次念完這段祈禱文，心中沾沾自喜，覺得在修行上又更上一層樓，因為我不是為我自己祈求，也不是為我的親友信徒祈求，而是在實踐《華嚴經》所說的『但願眾生得離苦，不為自己求安樂』。」

隨著年歲的增長、人我的接觸、閱歷的豐富、事業的開拓、社會的教化、佛法的實踐，還有開山的艱辛、天災的破壞、財務的危機、世局的多變，大師憑著「佛光普照、法水長流」的願心，忍辱負重，克服萬難，讓佛光山成為黑暗中的光明，苦海中的舟航。

## 第四個階段：五十歲以後

由於對佛法的體會更加的融會貫通，對世事變化更加地透徹了解，對佛菩薩的宏願更加體會認識，大師對這個階段如是描述：

「時光荏苒，心中的體會也不時遞嬗。五十歲過去了，我忽然心有所感：學佛應該是效法諸佛菩薩『代眾受苦，難行能行』的精神，為什麼自己卻總是祈求諸佛菩薩做這做那？因此，五十歲以後，我開始向諸佛菩薩做如是的告白：

慈悲偉大的佛陀！

慈悲偉大的觀世音菩薩！

請讓我來負擔天下眾生的業障苦難，

請讓我來承受世間人情的辛酸冷暖，

請讓我來延續實踐佛陀的大慈大悲，

請讓我來學習如來世尊的示教利喜。

回想這二十多年來，我雖然開刀多次，卻未曾間斷弘法工作；我奔走斡旋，終於讓海峽兩岸佛教的代表首次坐在同一個會議廳裡商討議案；我走訪中國大陸，為兩岸和平及福利眾生而祈願；我多次溝通協調，說服諸方大德，在印度佛陀成道處舉行國際三壇大戒，恢復南傳國家比丘尼僧團制度；我不辭辛勞，在世界五大洲遍設道場及佛光會，實現僧信平等，光大佛教的理想。清夜自捫：凡此艱鉅使命一一的完成，若非蒙我佛加被，以願心為力量，何能致此？所以，當名畫家李自健先生為我畫了幾幅肖像，請我題字時，我毫不思索地寫下：

心懷度眾慈悲願，身似法海不繫舟，

問我平生何功德，佛光普照五大洲。」

在這篇〈願心的昇華〉最後，大師如此說道：

「我也效法阿彌陀佛的四十八願，為自己擬出了四十八個大願：

第一：我願做一枝蠟燭，燃燒自己，照亮別人；
第二：我願做一泓清水，盪除垢穢，淨化身心；
……
第四七：我願做一根木柴，製成器具，供人使用；
第四八：我願做一個菩薩，發菩提心，光大佛法。

多年以來的修持體驗，使我深有所感：『發心立願』如同學生的升級，應該要策勵自己不斷進步，像地藏菩薩的誓願，從『超度亡母，出離苦趣』到『地獄不空，誓不成佛』，經過了無量億劫的考驗；彌勒菩薩的發心，從『求名求利，遊族姓家』到『降誕娑婆，廣度眾生』，也是多少阿僧祇劫心靈提升的結果。而我單單一個願心，就花費了一甲子以上的歲月，在人間佛教方面，才漸漸有一點點了然於心；在修道成績方面，才慢慢有一點點差可告慰。可見生命是一場長久的馬拉松賽跑，誰能『發大願心』，堅持到底，誰就能獲得最後的勝利。」

從大師「願心的昇華」，我們可以發現第一個階段（二十歲以前）、第二個階段

（二十歲以後），都是在祈求諸佛菩薩，對我及和我有關的人有所利益幫助。第三個階段（四十歲以後），祈求諸佛菩薩護佑所有的眾生，而非和我有關係的人，但仍是在「求」的階段。真正發菩提心，行菩薩道，可以說是在第四個階段（五十歲以後），發願效法諸佛菩薩「代眾受苦，難行能行」，此乃真正的諸佛菩薩的發願，此時大師成為每個人生命中的貴人。

## （二）真心付出

知道願心昇華的重要性後，要真心付出為眾生服務，如肉身菩薩慈航法師所說：「若有一人未度，切莫自己逃了。」以下舉出兩則故事，和讀者分享。

### 1.最美的奉獻

《最美的奉獻》（Devoted: The Story of a Father's Love for His Son）這本書在講述一對父子，父親叫迪克・賀特（Dick Hoyt），兒子叫瑞克（Rick），他們組成了賀特二人組

（Team Hoyt），三十多年來，他們參加超過一千場以上長短不一的馬拉松比賽，及六次被公認不是一般人可以做到的三項全能（又稱鐵人三項），因為必須連續完成游泳、自行車及跑步的運動。最重要的是瑞克是一位腦性麻痺的孩子，他們父子是如何做到呢？

瑞克出生時被臍帶纏住脖子，導致缺氧，因而被醫生判斷會成為植物人，無法繼續活下去，若活著也必須一生都坐在輪椅上。但父母堅持不放棄，因為他們發現孩子的眼球在動。

瑞克在父母的細心照顧下，情況越來越好，有一天，迪克發現他好像有些動作想要溝通，但不知如何進行，於是就找一所大學合作。大學教授認為要讓這個孩子可以溝通是不可能的，但迪克還是很堅持，因為他看到瑞克的眼睛會四處搜索轉動。最後教授也被迪克的誠心所感動，激盪出智慧的火花，於是做了一張輪椅，旁邊放著一部電腦，此電腦可以用合成語音的方式和外界溝通。

十五歲（一九七七年）那一年，瑞克就讀的高中，有位同學發生車禍，全身癱瘓，全校同學要辦賽跑幫他籌款。瑞克回家後，竟然跟爸爸說：「我也想為他跑步籌款。」

爸爸被他的心願感動，於是製作了可以推著跑步的輪椅，幫兒子完成心願。結束以後，瑞克非常興奮地告訴爸爸：「我們一起跑步時，我覺得自己是個正常人。」（"Dad, when I am running, it feels like I'm not even handicapped."）

一個腦性痲痺的孩子能講出這麼積極向上、激勵人心的話，多麼令人感動啊！這句話，促使迪克自一九七九年開始帶著兒子參加波士頓馬拉松，從那一天開始，賀特二人組開始一直跑、一直跑，跑了三十多年，跑出了他們父子不平凡的人生，縱然迪克已經七十多歲了，也沒有停止。

有一天，迪克感到身體不舒服，去醫院檢查時，醫生告訴他，他應該在十幾年前就得死了，因為全身血管有百分之九十以上阻塞，但是由於常常運動，保持良好的體態，所以能活到現在。

爸爸感謝兒子：「都是你讓我跑步，我才可以活到現在。」

這位爸爸一開始本著慈悲愛心、為人父母的天性，他們是孩子生命中的貴人。想不到，最後孩子竟然也是爸爸生命中的貴人。

有一年瑞克生日，他許一個願望：「爸爸，我有一個很重要的願望，但我恐怕沒有辦法實踐。您老的時候，我很希望推你去外面跑一跑，出去玩一玩。」這是多麼光明的心態，讓人聽了非常感動！

### 2. 祈禱之手

德國藝術大師亞爾伯．杜勒（Albrecht Durer），有一幅名聞世界的畫叫〈祈禱之手〉，相傳背後藏著一則愛與犧牲的故事。

十五世紀時，在德國紐倫堡的一個小村莊裡，有一戶人家養育了十八個孩子。父親是一名冶金匠，為了維持一家生計，他每天工作十八個小時。生活儘管窘迫，但其中有兩位孩子在藝術方面卻特別有天分，一位是法蘭西斯，另一位是亞爾伯，他們很清楚知道，以父親的經濟條件，無法供應兩個人到藝術學院讀書。

有一天晚上，兩兄弟做了一個很重要的協議，那就是以擲銅板方式決定誰去就讀，勝方到藝術學院讀書，敗方則到礦場工作賺錢。四年後，輪到在礦場工作的那一位到藝術學院讀書，由學成畢業那一位賺錢支持。結果，弟弟亞爾伯勝出。

就學期間，亞爾伯表現得非常突出，有時作品都比教授還要好。他畢業後，並沒有忘記和哥哥的約定，立刻返回村莊，要實踐諾言。

返鄉的那一天，家人特別為他準備了豐盛的宴席，慶祝他的學成歸來。席間，亞爾伯起立答謝法蘭西斯幾年來的支持，然後當眾宣布：「現在輪到你了，哥哥，我會全力支持你到藝術學院攻讀，實現你的夢想！」親友目光都轉移到法蘭西斯身上，只見法蘭西斯兩行眼淚直流。

他垂下頭，邊搖頭邊說：「不……不……」他站起來，望著心愛的弟弟亞爾伯，握著他的手說：「看看我這雙手，四年來在礦場工作，毀了我的手，關節動彈不得，現在我的手連舉杯為你慶賀也不可能，何況是揮動畫筆或雕刻刀呢？弟弟，太遲了……不過看到你能實現夢想，我十分高興。」

幾天後，亞爾伯不經意的看到法蘭西斯跪在地上，合起他那粗糙的手祈禱著：「主啊！我這雙手已無法讓我實現成為藝術家的夢想，願您將我的才華與能力加倍賜於我弟弟亞爾伯。」

原本對哥哥已十分感恩，這一刻更是感激涕零，然後決定將時間定格，畫下了哥哥這一雙祈禱之手。從十五世紀到現在，已經近五百年了，人們一樣可以找到亞爾伯・杜勒的速寫、素描、水彩畫、木刻、銅刻的許多作品，不過最為人熟悉的，還是這幅〈祈禱之手〉。

這樣的傳說，或許僅是人們的美麗遐想，但從故事裡，我們可以看到哥哥法蘭西斯是弟弟亞爾伯生命中的貴人，而弟弟亞爾伯感動於哥哥法蘭西斯的愛與犧牲，留下這一幅世界名畫，讓哥哥法蘭西斯的美德流傳後世，讓我們對他更加景仰敬佩。

## （三）持戒行善

《佛光教科書・實用佛教・持戒與犯戒》說：「戒，梵語『尸羅』，《大智度論》卷十三說：『尸羅，秦言性善，好行善道，不自放逸，是名尸羅。或受戒行善，或不受戒行善，皆名尸羅。』由此可知，戒是善法的初基，善法的依止處。」

從這一段話可以了解，一個人有沒有受戒，只要他有行善的舉止產生，都可以稱為「尸羅」。所以太虛大師會說「仰止唯佛陀，完成在人格」，把人做好，修身完成，才能進一步開發內心的光明智慧，證悟最高的真理。

有關「持戒行善」，我想從「責任心」的角度來探討：

### 1.日本三一一大地震的感人事蹟

二〇一一年三月，日本東北發生大地震，引起十公尺高的大海嘯，造成罹難及失蹤人數逾一萬八千人，經濟損失無法估量，但在災難中看到的人性光輝，令人動容。

在宮城縣南三陸町的防災中心，一位二十四歲的女播音員遠藤未希，在發生海嘯時，接到命令呼籲民眾撤退避難，隨即不斷地廣播，三十分鐘內廣播了四十四次，等於每四十秒廣播一次，許多民眾聽到她的廣播，紛紛往高處跑。

當海浪高達十公尺的時候，海水已經不斷地湧進屋子，她仍在廣播，同事們喊著「快上來，未希，快上來！」但是，當她要上樓已經來不及了，她的遺體一個多月後才被發現。遠藤未希堅守崗位的責任心，不就是持戒行善嗎？縱然犧牲自己性命也在所不惜，但許多人因為她的提醒而活了下來，她不就是龍天護法在護佑眾生嗎？

另一位是住在石釜市災區的禮儀師：七十出頭的千葉敦史。地震海嘯後，他去找親友，被現場凌亂殘破的景象及堆積如山的屍體所震撼。他心裡想：「若遺體都維持這樣悽慘落魄的樣子，家屬來認屍的時候一定很難受，無法平復內心的哀傷。」

於是，他投入熟悉的工作，如同亡者仍在世一樣，懷著對遺體的尊敬，修補破碎的身體、淨身、整理、化妝。他會對遺體說話：「我知道你一定覺得又冷又孤單，但你的家人很快就會來看你，所以你要以最好的樣貌，呈現給你的家人看，他們才會安心。」

這不但是安慰生者的一種方式，更是讓亡者走得有尊嚴，為火化做準備。如同我們去助念，幫助亡者放下萬緣，往生西方，家屬看到也放心。所以，一位送行者，他是在為亡者做義工，所做的事情就是慈悲心的激發，他們不就是這些亡者與家人生命中的貴人嗎？

由於他這種無私無我的奉獻，作家石井康太花了三個月的時間，記述千葉敦史的工作。他在書中說：「這個故事最終是在告訴大家，即使在無法想像的重大悲劇中，細小的仁慈行為也能發揮一點人性的光輝。」

## 2. 犧牲自己拯救全車的駕駛

二〇一二年一月十七日，台鐵太魯閣號在行經桃園楊梅幸福水泥平交道時，撞上疑闖平交道的砂石車。當時時速一百三十公里的太魯閣號，剎車距離至少要六百五十公尺，但當駕駛蔡崇輝看見砂石車時，只剩下二百公尺，三秒的時間可以反應，若是你，請問你會如何做呢？

蔡崇輝果決判斷，拉起剎車桿減少車子的撞擊力，將傷害降到最低，讓更多人活下來。果然，他的決定是對的，只有部分乘客受傷，但他卻犧牲了。新聞媒體對他捨己為人的精神大大讚揚，其中有一篇新聞如此說道：「殉職司機，曾多次救起臥軌者。」

原來，蔡崇輝的菩薩行，已經是日常養成的習慣了，所以碰到危機災難時，他想到的是大眾不是自己，此時他不就是護法龍天嗎？所以持戒行善，我們應該從培養責任感開始。反之，你沒有責任感，工作輕忽散慢，也會造成無邊的禍害。就好像接著下來要說的船難，就是來自輕心慢意，不負責任造成的。

### 3.歌詩達協和號觸礁事件

二〇一二年一月十三日，義大利郵輪「歌詩達協和號」（Costa Concordia）在義大利吉格里奧島（Giglio）外海觸礁翻覆，導致三十二人死亡。按常理說，此處不可能發生船難，因為海巡圖已經表明此地有暗礁，為什麼船長薛提諾（Francesco Schettino）仍朝那個方向撞去？新聞報導有幾種說法：

船長在未獲授權及批准下，為何私自偏離原本規定的航道，導致觸礁？可能是因為船長為了讓島上的人知道船要經過，要炫耀自己是有特權的。又有乘客表示，船長是個花花公子，他下令將船開得非常靠近吉格里奧島岸邊，為了要取悅一名來自島上的服務生領班。

不論原因為何，都已經發生船難了，但重要的船長竟然逃之夭夭。縱然海岸防衛隊的官員叫他回船上救人，但他還是假藉各種理由推辭，最終沒有回去救難，白白犧牲了三十二條生命。一般的機長、艦長、船長都會有「機在人在，機亡人亡；船在人在，船亡人亡」的信念，而這個船長竟然沒有，乃因沒有責任感的緣故。因此，擁有責任心也是一種持戒行善，也是一種龍天護佑啊！

## （四）精進不懈

當我們讓自己「願心昇華」、「真心付出」、「持戒行善」，我們接著下來要做的是「精進不懈」，不能夠「三天打魚，兩天晒網」，否則我們的努力就白費了。俗話說：「學佛一年，佛在眼前；學佛兩年，佛在天邊；學佛三年，佛化雲煙。」修行若如此，又怎能成就呢？

### 1. 修道要發長遠心

有位小沙彌和老和尚出外行腳，小沙彌一路上看到很多人間現象，因而心中發起菩

◆ 學佛修道要發長遠心，要精進不懈。

提心，要行菩薩道。老和尚是一位有道行的出家人，神通感知小沙彌的發願，內心也感動，自己都做不到，小沙彌卻做到了，便幫小沙彌扛行李，且叫他走前頭，搞得小沙彌一臉茫然。

在一路行走的過程中，小沙彌想到修行的艱苦，行菩薩道的不容易，眾生又那麼剛強難化，如今日子還滿逍遙自在的，幹嘛要吃苦，想想算了吧！此時，老和尚喊「停」！將包袱還給小沙彌，同時叫他走在後頭。

所以，星雲大師說：「一個人立志發心，不能只有『五分鐘熱度』，不能像朝露般，太陽升起，就瞬間蒸發，所謂『露水道心』也。例如有的人染上陋習，發誓改過向善，可是過不久就忘得一乾二淨；有的人聽到善行義舉，立刻發心參加，可是熱得快，卻冷得也快。花草樹木播種之後，況且還要經由陽光、空氣、水的滋潤，才能開花結果。所以，佛教講學佛修道要發長遠心，一步步修行，不退轉，終有一天才會成就。」

佛門如此，世間的道理也是相同。

## 2.造福自己也造福別人

據《印度時報》報導，布普拉．唐涅（Bapurao Tajne）和Sangita是印度的一對夫妻，由於村裡的水井枯乾，太太Sangita不得已前往鄰村取水。然而此水井的擁有者卻不願分享，因為她是四大種姓以外的達利特人（印度傳統社會最低種姓，且被稱為不可接受的賤民）。

丈夫唐涅聽到此事非常生氣，決定自己挖井，不再讓人白眼看不起。但他的決定沒有贏得村民的讚賞，反而受到嘲笑，甚至太太也勸阻他不要做傻事了，因為挖井是一個團隊的工作，且此地的土石特別堅硬，不是一個人可以完成的。

但唐涅不顧別人的眼光，每天在出門打工之前先挖四個小時，下班後又挖兩個小時，他從不喊苦、從不喊累，就這樣不間斷的挖了四十天，挖到約五公尺深左右，終於看到有水冒出來了！

妻子看到這景象覺得很羞愧，全家人也看到唐涅的毅力，於是一起幫忙挖井，最後挖成了一個約七公尺深、二點五公尺寬的井。此時村民的態度一百八十度大轉變，紛紛上前恭賀，而唐涅心胸非常寬大，無私開放水井給村民使用。一位村民說：「以前都要走一公里到別的村莊取水，多虧唐涅，我們現在隨時都有水可以用。」

唐涅的無私讓他變得有名氣，甚至連名人都來認識他，電視台也來報導他，簡直是真實版的「愚公移山」！這位用行動展示對家人的愛，堪稱是印度的新好男人，他不但做了自己的貴人，也成為貧苦村民們的貴人。從另一個角度來說，龍天哪有分種族貴賤？重點在於踐履自己的慈心悲願，你也能夠成為龍天護佑眾生啊！

## 3.天天真心關懷祝福

精進不懈不是只有用在讀書求學、開創事業，或是開疆闢土，有時生活上每日的關懷祝福，隨時實踐三好，都是在做自己的貴人，也在做別人的貴人。以下摘錄一則網路看到的故事，我覺得很有意義，特別與大家分享：

有一天，天堂放假，一個天使來到人間，為了化解自己的無聊，他對一個小女孩說，我可以實現妳一個願望，不管是權利、金錢、美貌、愛情……。小女孩抬起頭來認真的思考，然後告訴天使：「我想每天睡前都能聽到你對我說晚安！」天使驚訝於如此簡單的願望，隨口答應了。小女孩也非常歡喜雀躍，滿心期待著願望一天一天的實現。

一開始天使真的天天來說晚安，小女孩很開心進入夢鄉。有時天堂有事無法過來，他也打個電話來致歉，並道晚安，小女孩一樣歡喜的睡著了。但不知是從什麼時候開始，天使忙於自己的事情，甚至連打電話也忘記了。小女孩雖有些失落，但仍是每天期待著。最後，天使忙得忘記了對小女孩的承諾，甚至一通電話也沒有打來，從此就看不到天使來人間了，但小女孩仍記得天使的承諾……。

不久之後，天堂放假的日子又到了，一大群天使來到人間，他們問女孩，我們可以每人幫你實現一個願望，權利、金錢、美貌、愛情……。小女孩表情木訥地看著天使，一句話也沒有說，她知道，每天睡前的晚安都做不到，其他願望就不用談了！

小女孩的晚安故事值得我們深思，如果把天使比喻成爸爸媽媽，我們是否能夠天天滿小女孩一個晚安的心願，我們是否一忙也忘了承諾，一累也忘了承諾。

「勿以善小而不為，勿以惡小而為之」，如果我們天天都能實踐三好，哪怕是一件非常小的事情，相信你（妳）一定會成為他人生命中的貴人。

## 4.每天過著1.1的精進生活

有一個簡單的數學遊戲，可以證明天天行善，時日一久，會有不可思議的效果出現：

1×1，乘上十次，答案會變多少呢？答案很簡單，還是「1」。表示你過著一成不變的生活。

可是1.1×1.1×1.1……，如是相乘十次，答案會變多少呢？答案是「2.85」。這表示，你每天進步一點，每天都讀一點書、多做一點好事、多說一點好話、多誦一部經、多拜一點佛，日積月累，也會產生可觀的成就。

反之，如果每天你懶散一點、懈怠一點、沒有目標、多做一點壞事、多說一句壞話、多增一點邪念，就如同0.9×0.9×0.9……，一樣乘以十次，答案會變多少呢？答案是「0.31」，代表你的人生越來越墮落。

「1.1」自乘十次以後，變成「2.85」，「0.9」自乘十次以後，變成「0.31」，所代表的就是「積極」與「懈怠」，「行善」與「做惡」，兩種截然不同的命運！真的是滿有趣的數學題。希望大家都可以過著1.1的生活，且每天都能夠1.1或是1.2以上的精進生活，如此的人生，不就像神秀大師所寫的偈語：「身是菩提樹，心如明鏡台，時時勤拂拭，莫使惹塵埃！」

## 四、結語

總之，我們在生活中要實踐星雲大師的三好「做好事、說好話、存好心」，且要認真去做，遇到任何苦難，都要一路「精進不懈」的堅持下去；同時，我們也要「願心昇華」、要「真心付出」、要「持戒行善」，這樣才有辦法成為他人生命中的貴人！

曲直向前

福慧双全

Unwavering advancement despite life's twists and turns leads to the attainment of happiness and wisdom.

佛光山宗委會・國際佛光會　敬賀

**曲直向前・福慧雙全——**

人生有曲折，向前才有路。福慧雙修，生命圓滿自在。

每個人的人生，
有些一帆風順，有些曲折坎坷，
不論順境或逆境，
都要拿定目標，勇往直前。
通過風風雨雨的歷練，
長養我們的福德智慧，
這就是大師所說的
「曲直向前．福慧雙全」

# 曲直向前，如何獲得幸福與安樂

二〇一三年星雲大師的新春賀詞是「曲直向前．福慧雙全」。同時大師也下了一個定義：「不要害怕人生的曲折，因為『向前才有路』，猶如蛇的身體要彎曲才可以朝目標前進；給人一點空間，給自己一個空間，福慧雙修，人與人之間就會圓滿自在。」

針對大師的開示，我不揣淺陋地立下一個演講題目：「曲直向前，如何獲得幸福與安樂。」每個人的人生，有些一帆風順，有些曲折坎坷，但不論順境還是逆境，都要拿定目標，勇往直前，自然度過難關，達到幸福與安樂的彼岸。同時也因為經過風風雨

雨的歷練，無形之間長養了我們的福德智慧，這不就是大師所說的「曲直向前・福慧雙全」！

接下來，針對講題條列出三個重點來闡述：

一、曲折人生，向前有路。

二、吸取經驗，福慧雙修。

三、幸福安樂，自己掌握。

◆ 人生無論一帆風順或是曲折坎坷，都要拿定目標，勇往直前。

# 一、曲折人生，向前有路

所謂「萬丈高樓平地起，英雄不怕出身低」，歷史上有許多開國之君，在贏得天下之前，其實是一介平民百姓，如：漢高祖劉邦、明太祖朱元璋。雖然他們的人生曲折，但奮勇向前，最終嘗到勝利的果實。

下面我要介紹一位出身不佳，略帶殘疾，但憑著一股不放棄的精神，最後功成名就的案例，那就是電影巨星席維斯．史特龍（Sylvester Stallone）。

他出生在美國紐約市貧民區，出生時由於難產，醫生使用助產鉗助產，因操作失誤，使他的顏面神經受到傷害，導致左眼瞼與左邊嘴唇下垂，講話口齒不清。出生已經夠不幸了，加上家裡十分貧窮，一日三餐勉強維持；父親又是一個酒鬼、賭徒，賭輸了就拿兒子和妻子出氣。

史特龍的母親不但沒有憐惜他、呵護他，也拿他發洩，因而他常鼻青臉腫，皮開肉綻。在如此悲慘的命運下，他不但沒有被擊倒，還成為世界頂級的電影明星，他是怎樣辦到？

由於生長在貧民區，周遭環境奇差無比，史特龍從小就過著打架鬥毆的生活，父母離異後，他跟隨著母親。讀書求學也不順利，不但轉學了十多次，甚至在十年級的時候輟學。後來又到一個專門治療情緒困擾的學校讀書，此地開啟了他學習體育、鍛鍊身體及練習演技的因緣。

經過一連串學習，史特龍到了邁阿密大學表演系讀書，但由於臉部表情僵硬及講話不清楚，他又被退學了。如此的打擊，相信一般人都會放棄自己，但他仍然挺住，沒有放棄演藝之路。

退學後，在母親的建議下，他開始了寫劇本的生涯，但是對演藝之路沒有忘懷，因為他知道，如果仍然一事無成，就會和父母一樣，成為社會的負擔。

為了一圓演員的夢想，史特龍打定主意，認真地研究紀錄好萊塢五百家電影公司的資料，然後規劃路線，一一拜訪，但卻沒有一家公司願意用他。友人對他說，可能是你講話不清楚，導演不要你。他聽從朋友的意見，每天早上在嘴裡含著一顆小石頭，然後讀一個小時的報紙，縱然口腔破皮流血，他也沒有放棄，並且堅持了三百六十五天。這種鍥而不捨、奮戰到底的精神，終於有了回報，史特龍講話清楚了。

於是他具足了信心，進行第二輪的拜訪，但這些電影公司依然全部拒絕。這時候又有朋友建議了，可能是你太瘦，人家不要你，他二話不說，堅持做了一年的健身運動，他的體重增加，身體也變壯了。

史特龍帶著滿滿的信心，進行了第三次自我推薦及面試，但還是被無情的拒絕，此時他已經被拒絕一千五百次了。這個時候，有位好心的朋友告訴他，你如果能帶著一部好劇本去拜訪，也許成功的機率會大些，他又相信了。

就在他苦思劇本如何撰寫，一九七五年三月二十四日，史特龍無意間看到世界重量級拳擊冠軍穆罕默德．阿里（Muhammad Ali），與名不見經傳的業餘選手查克．溫柏（Chuck Wepner），在俄亥俄州里奇菲爾德（Richfield）市競技場比賽的電視轉播。

其實原本只是為了維持阿里冠軍頭銜的墊檔比賽，出乎意料的是查克竟然有超人的表現，甚至還在第九局擊倒過阿里，並且和偉大的阿里纏鬥了十五回合。最後查克雖被技術性擊倒，輸了這場比賽，但其奮戰的精神、超強的意志卻受到全場的喝采。

史特龍從比賽中得到靈感，主動和查克聯繫，要以他的奮鬥故事為藍本，寫成電影的腳本。就這樣他不眠不休花了三天的時間創作了《洛基》的劇本，然後充滿著信心，帶著劇本，第四次追尋他的明星夢。

他秉持著初衷，很有誠意的一家一家拜訪，但依舊一家一家給他失望，當他拜訪到第三百五十家電影公司，老闆破天荒地答應要看他的劇本，且願意用七千五百美元買下，但是不同意史特龍擔任主角。要知道當時他已經三天沒有飽餐過一頓，但因為不能主演，所以他拒絕了這家電影公司的要求，可知他具有一個「有所爭，有所不爭」的性格。

直到拜訪到第三百五十五家電影公司，也就是他第一千八百五十五次拜訪面試，一位已經拒絕過他二十多次的導演，終於給了他機會，同意由他演繹洛基·巴波亞（Rocky Balboa）這個角色，但片酬只有二點三萬美元。雖然片酬很低，但可以圓滿他的明星夢，他沒有任何怨言。他的執著、他的堅持、他的信念、他的夢想終於得到回報，因而史特龍絲毫不敢懈怠，全心全力投入演出。

皇天不負苦心人，這一部僅僅花了一百萬美元的低成本製作，只用了二十八天拍攝的影片，竟然在北美創下一點一七億美元的票房，全球則有二點二五億美元的票房。同時《洛基》在一九七六年贏得奧斯卡最佳影片獎、奧斯卡最佳導演獎和最佳剪輯獎，史特龍獲提名奧斯卡最佳男主角和最佳原創劇本獎。

史特龍的成功，相信對許多人來說很有激勵作用，因為他出生不佳、略帶缺陷、父母不和、環境惡劣、生活困難、不斷失敗……種種不幸事件加諸其身，但憑藉著一股不服輸的個性，百折不撓的精神，他從一個默默無聞的小人物，一夕之間成為閃亮巨星，上演了小人物翻轉命運的真實故事。

《警世賢文》說：「寶劍鋒從磨礪出，梅花香自苦寒來。」星雲大師在《怎樣做個佛光人》第二講也說：「我希望我們佛光人像千年老松，要能經得起歲月寒暑的遷流；我希望我們佛光人像嚴冬臘梅，要能受得了冰天雪地的考驗；我希望我們佛光人像空谷幽蘭，要能耐得了清冷的寂寞；我希望我們佛光人像秋天黃菊，要能熬得過寒霜雨露的摧殘！因為唯有有能耐的人才能成功，唯有能縮小的人才能擴大自己！」這一段話，已刻劃出史特龍成功之道。

所以當初大師在規劃佛陀紀念館時，在路上設置許多「向前有路」的路標，其意義已經彰顯出來。

當你進入佛陀紀念館，會看到莊嚴的「禮敬大廳」映入眼簾，然後從右邊通過「自在門」，接著沿「祇園路」往前。由於佛館的地形是狹長形，繞一圈約有二點二公里，加上道路彎彎曲曲，有些筆直、有些隱蔽，可能到「樟樹林滴水坊」附近，就不敢向前行進，以為沒有路了，往往想掉頭離開。因此大師指示我們在這個地方以及轉彎處都要立下「向前有路」的指標，且特別交代一定要掛在明顯處，讓大家看得到，這樣就會繼續往前邁進。

其實大師的另一層深意，除了提醒我們往前走還有路之外，也告訴大家，只要一直往前走，希望就在眼前。所以當你來到佛館，看到「向前有路」的路標，記得要繼續走下去，此時「柳暗花明又一村」，不知不覺中，你已經繞到佛光大佛的背後，接下來就

◆ 若能體悟「向前有路」，人生必會不同。

進入筆直的「靈山路」，一直往前走，就會從「解脫門」出來。

各位讀者，當你來到佛館，走一趟環館的「祇園路」、「靈山路」，感受一下大師「向前有路」的深意，相信對你的人生一定有所幫助。

## 二、吸取經驗，福慧雙修

談過了「曲直向前」的意義，接著我們要研究，如何在「曲直向前」的人生中獲得「福慧雙全」？

大師在《星雲法語·鏡裡人生》說：「別人就是自己的一面鏡子。聰明的人可以從別人的錯誤中糾正自己的錯誤，智慧的人可以從別人的經驗中豐富自己的經驗。」

也在《迷悟之間·自我教育》言：「愚笨的人，熬過痛苦，忘記經驗；平庸的人，經歷痛苦，才能獲取經驗；聰明的人，吸取別人的經驗，成為自己的智慧。」

大師這兩段話已經把如何獲得「福慧雙全」的方法表明出來了。也就是說如何熬過痛苦獲得經驗，或是以別人為借鏡，來獲得智慧。

## （一）六十五歲，智慧的巔峰

洪蘭教授在《天下雜誌》專欄，發表過〈六十五歲，智慧的巔峰〉一文，內容談到她有一個學生兼任助理，一次騎車去郊外賞櫻，不小心撞倒一位老太太。老太太飽受驚嚇，她的兒子要求賠償三十萬元。一個窮學生哪有錢賠償，就回家向母親求救。

學生的母親了解實情後，叫孩子帶她去老太太家附近看一下環境。回家後，他的母親燉了雞湯，又做了一些糕點，然後前往老太太家賠罪。奇怪的是，他的母親竟然沒有在老太太家門口下車，反而在離住處有一段距離的地方下車。他不明白母親為何如此大費周章，母親告訴他：「用走的才有誠意！」然後拎著大謝籃，一面走一面問路，目的是要讓左鄰右舍看到她是很誠心來陪罪的。他的母親說：「老人家是靠聊天、聽閒話過日子，左鄰右舍的意見比兒子的意見還管用。」

母親進門後，馬上跟老太太又賠罪又訴苦：「我兒子現在做教授的助理，一個月才賺五千塊啊！哪有三十萬，連三萬都沒有，乾脆讓他去關，我也不理了，也是個教訓，誰叫他……唉！」

老人家一聽也覺得過意不去，都是自己的關係，害她唯一的兒子要被抓去關。接著，母親東扯西扯，一坐就是四個小時，到了最後，不但不用賠錢，老太太還讓她從家裡的菜園帶了一堆芥菜回家。果然「薑還是老的辣」啊！

因而洪蘭教授在文章中提到：「德國馬克斯薩朗克人類發展研究所的所長巴特斯（Paul Baltes）發現，智慧的顛峰在六十五歲左右，人到中年不是百事衰，而是圓融智慧。所謂『世事洞明皆學問，人情練達即文章』，他們累積了很多人生經驗，做出來的決定

◆ 世事洞明皆學問，人情練達即文章。

面面俱到，是最好的談判人員。」

助理的母親，今天有這樣的智慧，相信是多年經驗的累積，才能夠看透局勢的發展，了解老太太的需要，其母的談判技巧令人歎服啊！

## （二）李安導演的成功之路

二〇一三年李安因《少年 PI 的奇幻漂流》這部電影，再次獲得奧斯卡最佳導演獎，一位電影導演，一生想獲得奧斯卡金像獎都不容易，而李安以一位華人的身分，竟然得到兩座，真的不可思議。依照我對他的觀察，他的人生路就是「曲直向前．福慧雙全」。為何這麼說，接著下來我們來探討李安的演藝之路，就可以明白了解。

李安於一九五四年出生在屏東潮州，他考上台南二中，後來轉學至台南一中，父親是當時的校長。但李安卻連續兩次大學聯考落榜，最後只好就讀國立藝專影劇科。這對他的父親來說是非常沉重的打擊。有一次，當他們父子獨處時，父親問他要不要重考？李安回答：「我覺得我是屬於這方面的。」李安非常堅持想當導演的夢想！

一九七五年，李安畢業後去當兵，退伍後，於一九七九年前往美國伊利諾大學香檳分校戲劇系讀書。畢業後，於一九八一年至紐約大學電影製作研究所攻讀碩士學位，求學期間認識林惠嘉女士，並於一九八三年結婚。一九八四年畢業作品《分界線》，獲得紐約大學生電影節金獎作品獎及最佳導演獎，這代表他在學校的成績非常好，很有導演的天賦。但是，接下來一九八四年到一九九〇年的六年，他卻找不到工作賦閒在家。

## 1.初心動搖，太太軟硬兼施

這段期間，李安在家裡做什麼？他做「家庭煮夫」，太太去上班，他在家裡做家務、煮飯菜給老婆、孩子吃。其他時間，他就專心寫作，完成後就把劇本送去給製作人看，問對方願不願意採用，但往往得到的回音是「NO」！就這樣李安日復一日做「家庭煮夫」和寫劇本，也有去找其他工作。

有一天，他的太太要去上班，突然看到李安拿著球拍準備去打網球。她心裡想：「難道我要和這種男人過一輩子嗎？」感覺到很茫然，於是打電話給自己的媽媽：「我應該怎麼辦？」

她的媽媽不知道該怎麼勸她，只好說趁著年輕，就趕快離婚吧！聽到這一句話以後，她心中更加不知所措！電話掛掉後，她就想：「夫妻結婚以後，不是要好好相處、要相互扶持、要一起共患難嗎？怎麼我會有『離婚』的念頭呢？」此時她覺得這個負面情緒是不對的，她提醒自己應該改變想法才對，應該要繼續幫助、支持先生才對。

後來，她看到李安竟然去報名學習打電腦，因為李安準備放棄拍電影，要去從事一般的資訊工作。她就跟李安說：「要記得你是有夢想的人，你的電影夢還沒有完成之前，不可以改變職業！」

但是，李安此段時間的心態反反覆覆的，有時積極向上，有時意志消沉，太太會鼓勵李安不要洩氣、有時也會給他當頭棒喝，但效果還是不彰。於是，她採取另一種方式，就是不管他！讓李安去沉澱，讓他自己去思索接下來的方向。

我認為她這一招很重要，因為人在混亂狀態時，不是鼓勵或是喝斥就有辦法解決的，要讓對方沉澱下來，自己靜靜地去尋找答案，這不就是打坐參禪的目的嗎？經過了六年，李安發現在美國找工作不容易，乾脆回到台灣發展。

## 2.六年蟄伏，累積能量綻放

李安在美國六年的蟄伏，不但是「家庭煮夫」，也創作了不少好劇本。正好一九九〇年，台灣新聞局徵集優秀劇本，李安便將一九八二年開始創作及修改了二十多遍的《推手》和《囍宴》寄去投稿，結果分別獲得一、二等獎。《推手》不僅為李安贏得四十萬元獎金，且籌得部分拍攝資金，也讓大眾認識到一位新銳導演，竟然有辦法拍攝出融合東西方文化題材的電影。不但《推手》奪得亞太影展「最佳影片獎」，他的其他劇本《囍宴》、《飲食男女》也在海內外屢屢獲獎。

由於李安拍了這三部影片，得到大眾的讚賞，連美國好萊塢電影製片也看上他，並找他拍攝改編自英國小說家珍·奧斯汀（Jane Austen）名作《理性與感性》，這也是李安第一次被好萊塢看中，且是導演全英語的影片。

這個決定，引起了許多質疑：一位留學美國的華人導演，哪有可能拍出《理性與感性》的深刻意涵？另外，他還要面對兩位大咖明星休·葛蘭（Hugh Grant）和艾瑪·湯普遜（Emma Thompson），他們除了分別出身於牛津大學英國文學系及劍橋大學英國文學系，更已是奧斯卡影帝、影后。

這種情況下，面對許多文化背景的衝突與意見不合，李安想盡辦法和他們溝通，也因為李安東方兼容並蓄的智慧起了作用，最後終於達成一致，並以自己的東方意境，切中了珍·奧斯汀的精髓。

《理性與感性》於一九九五年在美國上映，一九九六年在第六十八屆奧斯卡金像獎獲得最佳改編劇本獎，以及最佳攝影、最佳服裝設計等七項提名，此時李安正式成為一名國際導演了。

### 3.國際導演，仍是曲折不平

接下來，李安又拍了兩部影片，一部是一九九七年的《冰風暴》，另外一部是一九九九年的《與魔鬼共騎》，但票房都不佳。李安沒有氣餒，因為他從失敗中不斷吸取養分，不斷修正錯誤，不停的在試探自己的拍片風格，同時更進一步掌握和西方人的溝通模式，且懂得教導他們如何拍攝影片。也因為這些經驗累積，在二〇〇〇年拍攝《臥虎藏龍》，他知道如何以西方人的角度，拍出有好萊塢西部片與歌舞片手法的中國武俠片，使之兼具了東方與西方的人文價值。

果然《臥虎藏龍》在二〇〇一年獲得了第七十三屆奧斯卡最佳外語片獎，以及最佳攝影獎、最佳藝術指導獎、最佳原創音樂獎。此時李安已經進入到好萊塢「A咖」導演的行列了。同年，李安獲得母校紐約大學的榮譽博士學位，這是多麼大的鼓勵及肯定。

李安雖然在影壇已經有很高的名望，但在二〇〇三年拍攝漫畫改編的《綠巨人浩克》，他要面對一個全新的思維、全新的特效科技，讓他勞心勞力、耗費精神，結果卻呈現一個不盡如人意的作品，票房更是慘烈。

此時，他從雲端跌落谷底，各種的苛責批判，讓他心力交瘁，便萌生退休之意。本來最反對他拍電影的父親，反而鼓勵他繼續拍電影，要帶著沮喪低潮往前衝刺，不要半途而廢！因為父親的鼓勵，他鼓起勇氣繼續向前。

雖然李安拍攝《綠巨人浩克》失利，但好萊塢的製片還是對他有信心，果然二〇〇五年上映的《斷背山》，讓他獲得第七十八屆奧斯卡最佳導演獎，也是亞洲第一位獲此殊榮的電影人。再來，二〇〇七年的《色，戒》獲得了威尼斯電影節的金獅獎、第四十四屆金馬獎的「最佳劇情片」與「最佳導演」等七項大獎。

但是，二〇〇九年的《胡士托風波》，又淪落為爛片的批判，許多國外影評毀多於讚，甚至在「爛番茄影評網站」被評選為「腐爛」的影片，只有百分之四十八的正面評價。但是，李安這次沒有放棄，也沒有受到動搖了。

他說：「每拍一部片，我都是在學習處理（manage）自己。」他知道自己出產的影片，在外界的眼裡是好是壞，都是學習的過程，唯有在失敗的時候，痛定思痛檢討，從中找出問題，加以改進，變成養分，為下一部影片做更好的準備，這才是最重要的事情。就像動漫、特效等科技不是李安的專長，造成《綠巨人浩克》的失敗，卻變成他拍攝《少年PI的奇幻漂流》成功的踏腳石。

◆ 每一次失敗都是成功的踏腳石

## 4.《少年 PI》，提攜台灣人才

李安在二〇一二年十一月上映的《少年 PI 的奇幻漂流》取得輝煌成績。不但票房亮麗，在國際間也獲得好評，同時也得到不少的國際大獎，更讓李安獲得第八十五屆奧斯卡金像獎最佳導演、攝影、配樂和視覺效果四個獎項，這是繼《斷背山》後，贏得第二座奧斯卡最佳導演獎。

不但李安得獎，台灣的年輕電影工作者，因為有機會參與好萊塢的電影工作，也受到國際矚目。在台灣拍攝期間，劇組共七百六十七人，其中二百一十七人來自美國，一百零一人來自其他二十一個國家，其餘四百四十九人皆來自台灣。原本劇組的規劃，台灣只有二百多人參與，後來爆增一倍以上，原因是許多工作，台灣本地的人才就可以勝任了。所以，李安的這一部影片，不但挖掘了許多台灣電影人才，同時也讓他們學到西方電影工作者的態度與模式。

還不只如此，許多的場景，也是在台灣拍攝。如：製造各種海浪及少年 PI 和老虎的各種特效，是在台中舊水湳機場建造的一個大水池完成的；有許多動物跑出來的場景，是在木柵動物園拍的。還有，小舟被沖到岸邊，那個漂亮的白色沙灘，是在墾丁拍的；老虎走入一個奇幻神祕的樹林，是在恆春白榕園拍的。隨著李安獲得最佳導演獎，無形之間也把美麗的台灣介紹給全世界。這不但是李安的成功，也是台灣的榮耀啊！

另外，整部影片需要用到大量的動畫特效，而這群工作團隊卻分散在世界各地，如果沒有快速的網路傳輸系統，沒有一個超大容量的雲端平台，恐怕電影製作時間會被迫延後。但製片公司的預算有限，為了節省成本，李安在政府的協助之下，找了中華電信合作，中華電信也很配合，選出二百位雲端方面的菁英參與，就這樣默默耕耘了三年，當電影殺青了，台灣的技術提升了，工作態度也受到肯定。

《少年PI》上映這一天，好萊塢R&H的動畫團隊與中華電信簽署合作備忘錄，代表雙方合作愉快，共同繳出亮麗的成績單，日後還要繼續合作，也代表中華電信是有世界水準的。所以如果有一天我們台灣青年要到好萊塢求職，只要在履歷表上面寫著「我是《少年PI》的製作團隊」，相信一定會加分不少。

所以李安獲獎，上台致辭時，除了感謝老天爺以外，他還謝謝台灣、謝謝台中，也謝謝他的太太。為什麼他要這樣感謝？他的一生當中，若沒有這些單位、這些貴人，恐怕沒有現在的成就。

我特別花了那麼多篇幅介紹李安，目的是希望大家知道，李安的電影路是很曲折的，不是事事順利的。尤其他在失落放棄的時候，父親和太太的鼓勵支持非常重要，還有電影製片人徐立功的賞識，都是讓李安能夠秉持著「向前有路」的信念，熬過了痛苦，然後得到了經驗，也懂得用別人的經驗，來增加自己的智慧，最後得到大家的肯定。李安的這些經歷，徹底印證了星雲大師「曲直向前．福慧雙全」新春賀詞的意涵。

## 三、幸福安樂，自己掌握

前面已經提過「曲折人生，向前有路」、「吸取經驗，福慧雙修」兩大重點，接著要談「幸福安樂，自己掌握」，因為功成名就不容易獲得，如果放縱自己，沒有繼續努力，很可能就會從高峰狀態墜落下來。

在網路上曾看到一篇短文，不知道作者是誰，但內容說的真好，值得我們深思。此文說到，人在什麼時候最清醒？

天災降臨後。東窗事發後。大禍臨頭後。
重病纏身後。遭受重挫後。退休閒暇後。
反之，人在什麼時候最糊塗？
春風得意時。來錢容易時。得權專橫時。
迷戀情愛時。想占便宜時。老年痴呆時。
之後又說：
當你得意時，留點空白給思考，莫讓得意沖昏頭腦。
當你痛苦時，留點空白給安慰，莫讓痛苦窒息心靈。
當你煩惱時，留點空白給快樂，煩惱就會是浮雲。
當你孤獨時，留點空白給友誼，真誠的友誼是第二個自我。

當你失落時，留點空白給希望，希望是你的指路明燈。

所以，當我們的人生歷經了許多苦難，咬緊牙根突破那麼多的困境，才得到一點成就，結果卻因為春風得意、來錢容易、得權專橫、迷戀情愛、想占便宜，奪走了我們好不容易獲得的幸福安樂，那真是得不償失啊！

二〇一二年國際佛光會第十四次世界會員代表大會，星雲大師主題演說「幸福與安樂」，提出四個重點：「淡泊知足是幸福安樂、慈悲包容是幸福安樂、提放自如是幸福安樂、無私無我是幸福安樂」。相信我們如實去做，可以讓我們永保安康。

## （一）淡泊知足是幸福安樂

### 1.人的幸福感取決於什麼？

請問你幸福嗎？幸福感取決於什麼呢？

二十四歲的霍華德．金森，決定以「人的幸福感取決於什麼」為畢業論文主題，他向市民隨機派發了一萬份問卷。問卷中，有詳細的個人資料登記，還有五個選項：A非常幸福。B幸福。C一般。D痛苦。E非常痛苦。

經過數個月，他收回了五千二百多張有效問卷。經過統計，僅僅只有一百二十一人認為自己非常幸福。

接下來，霍華德對這一百二十一人做了詳細的調查分析。他發現，這些人當中有五十人是這座城市的成功人士，他們的幸福感主要來自於事業的成功。而另外的七十一人，是普通的家庭主婦、賣菜的農民、公司裡的小職員，甚至有的是領取救濟金的流浪漢。這些人的生涯平凡平淡，甚至可以說是過著悲慘黯淡的人生。為什麼他們也會擁有如此高的幸福感呢？

透過與這些人的多次接觸交流，霍華德發現，這些人雖然職業多樣、性格迥異，但是有一點是相同的，那就是他們對物質沒有太多的要求。他們很能享受柴米油鹽的平淡生活。

這樣的調查結果讓霍華德深受啟發。於是，他得出了這樣的結論：「這個世界上有兩種人最幸福。一種是淡泊寧靜的平凡人，一種是功成名就的傑出者。如果你是平凡人，你可以透過修鍊內心、減少欲望來獲得幸福。如果你是傑出者，你可以透過進取拚搏，獲得事業的成功，進而獲得更高層次的幸福。」

畢業後，霍華德留校任教。二十多年過去了，他也由當年意氣風發的青年，成長為一位知名的教授。一個偶然的機會，他又翻出了當年的那篇畢業論文。他很好奇，當年那一百二十一位認為自己「非常幸福」的人現在怎麼樣呢？他們的幸福感還像當年那麼強烈嗎？

他再次和這些人聯繫，花費了三個月的時間，對他們又進行了一次問卷調查。

當年那七十一名平凡者，除了兩人去世以外，這些年來，其他六十九人的生活雖然發生許多變化，他們有的已經變為成功人士，有的一樣過著當初的平凡日子，也有人由於疾病和意外，生活十分拮据。但不論如何變化，他們都覺得自己「非常幸福」。

而那五十名成功者的選項卻發生了巨大的變化。僅有九人事業一帆風順，仍然堅持當年的選擇「非常幸福」。二十三人選擇了「一般」。有十六人因為事業受挫，或破產或降職，選擇了「痛苦」。另有二人選擇了「非常痛苦」。

看著這樣的調查結果，霍華德陷入了深思，一連數日，他都沉浸在自己的思緒當中。兩週後，霍華德以〈幸福的密碼〉為題發表了一篇文章。他詳細敘述了這兩次問卷調查的過程與結果。文章的結尾，他總結說：所有靠物質支撐的幸福感，都不能持久，都會隨著物質的離去而遠離。只有心靈的淡泊寧靜，繼而產生的身心愉悅，才是幸福的真正源泉。

無數讀者讀了這篇文章之後，紛紛驚呼：「霍華德破解了幸福的密碼！」這篇文章引起了廣泛關注，在接受媒體採訪時，霍華德一臉愧疚地說：「二十多年前，我太過年輕，誤解了幸福的真正內涵。而且，我還把這種不正確的幸福觀傳達給我的許多學生。在此，我真誠地向我的這些學生致歉，向『幸福』致歉！」

其實這個「幸福的密碼」，佛陀在兩千多年前就已經破解了。《佛遺教經》說：「汝等比丘，若欲脫諸苦惱，當觀知足，知足之法即是富樂安穩之處。知足之人雖臥地上，猶為安樂；不知足者，雖處天堂，亦不稱意。不知足者，雖富而貧；知足之人，雖貧而富。不知足者，常為五欲所牽，為知足者之所憐愍，是名知足。」所以，知足的人，內

◆ 知足為幸福安樂之法

心永遠保持幸福安樂，雖然很貧窮，甚至窮到必須睡在地上，他一樣感到幸福無比。

這六十九位平凡的人，始終堅信心靈淡泊寧靜就是幸福，所以不論環境如何變化，他們幸福的感覺都沒有變。反之，那五十位成功人士，因為事業成功才感覺幸福，所以當外在環境改變、身分地位改變、財富縮水，大部分的人幸福感就消失了，甚至感覺非常痛苦。大師說「淡泊知足是幸福安樂」，正是我們要修行的功課。

## 2.不懷念揮金如土的日子

胡雪巖（一八二三～一八八五年），晚清時期的紅頂商人。他個人資產高峰期達到白銀二千萬兩（一說三千萬兩），一度超過滿清政府的國庫儲備金。結果，因為落入官場惡鬥、投資失利，最後傾家蕩產，年僅六十二歲鬱鬱而終。據說他往生前講了這樣的話：「商人為錢，錢能害命。我這一輩子不懷念揮金如土的日子，而懷念少年時候，拿個幾文錢買燒餅、喝水酒的日子。」

胡雪巖的慨嘆，相信是一般人心裡共同的心聲，當我們的人生漸入高峰發達，但隨之而來的卻是家庭、事業、人際一堆問題的產生，此時你最懷念的時光，應該是夫妻齊心，共同拚搏，養育兒女。那時雖然生活艱苦，但目標明確，小小的成功，都讓人幸福快樂無比。所以大師在〈幸福與安樂〉一文告訴我們：「物質的生活，雖能滿足人的需要，卻不能為人帶來長久的快樂，唯有淡泊知足，才能讓我們獲得恆長的快樂。」

## （二）慈悲包容是幸福安樂

### 1.曼德拉拋棄仇恨，擁抱敵人

一九九〇年二月十一日，曼德拉（Nelson Mandela）步出監獄後說：「當我走出囚室，邁向通往自由的監獄大門時，我已經清楚，自己若不能把悲痛和怨恨留在身後，那麼我其實仍在獄中。」這句話很有佛法，如果我們不把悲痛和怨恨拋諸腦後，雖然人不在獄中，但心仍被關在悲痛怨恨的囚牢裡面。

出獄以後的曼德拉，真的做到了自己的宣言。

一九九四年，曼德拉當選南非歷史上首位黑人總統，並邀請前一任的白人總統戴克拉克擔任副總統，代表黑白兩個種族要和諧共處。他們矢言要建設南非，讓人民過著幸福安樂的生活。

雖然曼德拉請了白人當副總統，但社會仍面臨分崩離析的危險情況。以前遭受不公待遇的南非黑人，一心一意想要報仇，曼德拉看在眼裡、痛在心裡，所以致力倡導黑白族群的融和。

終於曼德拉總統看到一個絕佳機會，一九九五年六月，世界盃橄欖球賽首次在南非舉行，他親自接見白人引以為傲的橄欖球隊，也讓白人繼續當橄欖球隊隊長，同時穿上跳羚隊的綠色球衣，號召全國民眾，不分黑白種族，大家一起為跳羚隊加油。隊員士氣大振，最終不負眾望抱走冠軍，為南非贏得首次冠軍。奪冠的那一剎那，已不分黑白種族，這個時候大家都是南非的子民。這段過程於二〇〇九年由好萊塢改編成電影《打不倒的勇者》（Invictus）。

不僅如此，二〇一〇年二月，曼德拉邀請一位曾看管過自己的獄卒布蘭德（Christo Brand）到家中參加特別晚宴，慶祝出獄二十週年。曼德拉在回憶錄裡曾經強調布蘭德「強化我對於基本人性的信心，即便他們是將我陷於囹圄的人」。踏出牢房後，曼德拉拋棄了怨恨，寬恕了白人，讓整個南非可以更加融和。以上種種事例，不就是曼德拉總統慈悲與包容的力量嗎？

## 2.以瞋不能止瞋，以愛才能止恨

西來寺有一位師姐，出生於薩爾瓦多，後來移民到洛杉磯。生長在天主教國度的她為何會成為佛教徒呢？有一天，她開車路過西來寺，突然覺得此地很熟悉，於是開車進入西來寺。當看到寬闊的成佛大道及雄偉的大雄寶殿，她突然大叫一聲：「那是我做夢經常出現的建築物！」乃三步併做兩步走，拾級而上。進入殿內，已淚流不止，這就是她尋覓已久的心靈故鄉。之後，她皈依三寶，成為一位佛教徒。

有一天，她的孩子在超市門口被黑幫分子誤殺，她內心非常痛苦，想到自己已經學佛、拜佛，為什麼佛菩薩沒有保佑她，竟然讓乖巧的孩子被錯殺，內心憤恨不平。

當她來到西來寺，知客特別安排我跟她見面。我告訴她長壽王的故事：古印度有位國王名叫長壽王，愛民如子。但另一個國家的國王梵豫王卻凶狠好鬥，經常發動戰爭，造成兩國人民死傷無數。為了讓人民能夠過著安定日子，長壽王決定將整個國家讓給梵豫王，只要他不再傷害百姓。

長壽王和家人離開都城，開始過著隱姓埋名的生活。但梵豫王仍心存疑慮，四處追捕，長壽王最後還是被捕獲斬殺，但臨終前他告訴兒子長生童子不可以報仇雪恨，因為

「恨」是無法停止爭鬥的，唯有慈悲、忍耐才能解決爭端。

父親雖然這樣交代，但長生童子仍是記恨，於是喬裝成樂師，到處賣唱，想不到受到貴族們的喜愛，因緣成熟也受到梵豫王的賞識，最後成為梵豫王貼身護衛，但他們都不知道長生是長壽王的兒子。

有一次，長生隨著梵豫王外出狩獵，卻和其他人失去聯絡，也找不到出路，王累了，就靠在長生的腿上休息。長生看到王已經熟睡，心生復仇之念，此時腦中卻浮現出父親長壽王的告誡，便放棄報仇雪恨的機會。

此時國王驚醒了，他告訴長生，他夢到有人要刺殺他。這時長生毫無畏懼的表明身分，說自己本來想刺殺國王，但父親臨終前的告誡，讓他打消念頭。梵豫王被長壽王父子慈悲寬容的心胸所感動，後來將國土還給長生，並將公主許配給他。因為忍耐、寬容，讓兩個國家終能和平止諍。

西來寺的這位師姐聽完故事，若有所悟的離開了。之後她到監獄探視這位殺人犯，並且對他說：「我告訴你，我已經失去一個孩子，我不可以再失去第二個孩子，這第二個孩子就是你，從今天開始你要改過向善，來代替我的孩子才可以。」那個人聽了以後感動萬分，心房突破，嚎啕痛哭，當下向她懺悔，認她為乾媽。

《中阿含長壽王品》云：「若以諍止諍，至竟不見止；唯忍能止諍，是法可尊貴。」星雲大師也說：「以瞋不能止瞋，唯有慈悲才能化解瞋恚，消除人我紛爭。」

所以，以愛才能夠止恨，以愛才能帶來和平安樂，大師說慈悲包容才是幸福安樂，一點也沒有錯啊。

### 3.選擇原諒，去除哀傷

二〇〇七年，有一位美國婦女塔爾頓（Carmen Blandin Tarleton），因丈夫懷疑她外遇，除了家暴毆打外，還以強鹼毀掉她的面容。她入住醫院接受治療，六年期間接受多達五十五次手術。在二〇一三年二月接受臉部移植手術後，於五月公開展示她煥然一新的臉，記者會當天，她透露這段期間的心路歷程。

她說：「我現在狀況比較好了，身體還有心情上都比六年前所能想像的還要好。我想和其他人分享經驗，這樣他們或許就能自己尋得力量，逃離自身痛苦。」又說：「我學會了……原諒不是寬恕他（丈夫）的所作所為，也不是僅和他有關，而是赦免他，原諒我自己，允許我自己向前邁進，不要深陷在那晚的慘劇裡。」

她同時對在二〇一三年四月十五日波士頓馬拉松爆炸案的受害者說：「面對痛苦與原諒的挑戰，我希望其他人知道，慘劇來襲時，不要放棄感受自己。反之，要做出抉擇，

◆ 唯有慈悲，才能化解瞋恚，消除人我紛爭。

去找好事，讓好事幫助我們療癒。」

相信一開始，塔爾頓一定深鎖在痛苦與怨恨當中，慢慢地她發現怨恨只有讓自己更痛苦，是在懲罰自己，接著她又陷入怨恨與原諒之間的拉扯。但是當她在記者會說出這些寬恕的話語，希望波士頓馬拉松爆炸案的受害者去做好事，藉此幫助療傷，相信她已經打開心中的囚牢，可以自由飛翔了。

塔爾頓女士以自己親身悲慘際遇，告訴我們療傷止痛的方法，那就是寬恕及慈悲包容，同時也告訴我們真正解決痛苦的良方，就是「做好事」幫助其他人，才是最好的療癒良方。此事更讓我們清楚明白，大師提倡「三好運動」的重要性。從以上三則實際的案例，便可明白為何大師會說「慈悲包容是幸福安樂」了。

## （三）提放自如是幸福安樂

### 1. 提起責任，放下壓力

星雲大師於二〇一三年四月八日受邀到香港中文大學演講，校長沈祖堯開場白時說：「大師，我要謝謝您！兩年多前我跟大師見面，說自己現在當了校長壓力很大，請問大師我如何是好？大師聽了以後就告訴我『要懂得放下兩個字，上班時就拿起公事包，下班後就要記得把公事包放下。』短短幾句話讓我有所醒悟、豁然開朗。」

所以大師在〈幸福與安樂〉一文說：「我經常比喻，做人要像一個皮箱，當提起時提起，該放下時放下。當提起時，應該勇敢承擔，要有『捨我其誰』的發心與使命感；該放下時，也要隨順因緣，坦然放下。能放下，便容易再提起；肯向前跨一步，就會有前途。」

### 2. 提起勇氣，放下哀怨

一位十一歲的小女孩，身高只有一百公分、體重九公斤，她患有衰老症，也稱為早衰症。她的母親面對這個孩子，並不是苦苦惱惱，反而是勇敢面對。為什麼？因為這位母親已經學會提起、放下，已經接受了女兒的早衰症，也知道有一天女兒的耳朵、眼睛都會聽不到、看不到，而且會很快往生。

孩子有這個情況，她並沒有排斥，而是接受，這個就是「提起」，因為她做到大師所說的提起正念、提起正見、提起慈悲、提起勇氣面對難關。「提起」以後要「放下」什麼？放下哀怨、不滿跟痛苦，也唯有放下這些負面情緒，她才有辦法真正去關照女兒，才有辦法讓女兒過著所剩無幾的幸福快樂時光。所以，趁女兒還看得見，春天帶她去賞花、夏天帶她去看海，不想讓女兒為期不長的短短人生，錯過人世間的美好事物。

這就是這位母親「提起、放下」所產生的智慧和勇氣，知道接下來應該如何照顧女兒。不要再去想女兒還可以活多久，而是讓她活著的每一天都快快樂樂，這個才是重要！

小女孩漸漸失去視力，後來連聽力也失去了。面對女兒每一個老化的過程，都讓這位母親哀傷痛苦，但她不時提醒自己，一定要轉換心情。被問到自己的感想，這位媽媽說：「雖然我的女兒看不見，也聽不清楚，但至少她不曾看過世間醜惡的事，她也沒有聽過或說過惡毒的言語，她的身、口、意是乾乾淨淨的。」

這個「提放自如」的智慧，相信能讓這位媽媽，在感情上雖割捨不下女兒的漸漸衰老，但理智上她不會痛苦。因為她在女兒能夠聽到、看到的時候，陪著女兒度過每一個快樂時光。

## （四）無私無我是幸福安樂

### 1.五十七美分建起的學校

網路上有這麼一個無私動人的故事：美國建國初期，每個地方都百廢待興，大家過著辛苦的生活。因為沒有工作，一位母親只好帶著女兒乞討過活。

有一天，女兒聽到遠方有人彈鋼琴，就跟媽媽說：「這麼優美的聲音，我們是不是進去聽？」

媽媽告訴她：「這是有錢人家孩子讀書求學的地方，我們沒有那個機會。」然後拉住她的手，帶著她離開。不過，小女孩的內心，已經種下將來有一天要進去聽琴的種子。

有一天，她看到一則廣告，上面寫著這個地方要辦音樂會。當天很多人盛裝進去參加音樂會，她也想進去，但是守門的人員不讓她進入，因為她衣服破爛、身體髒臭。那時，剛好有一位老師從旁邊經過，看到小女生很想進去，就以自己為擔保，把她帶進去參加音樂會。

事後，小女生問老師：「為什麼窮人家的孩子，不可以進到裡面讀書，而只讓有錢人家的孩子到這裡學習？」

老師怕傷害到小女生的心，就告訴她：「不是不給窮人家孩子讀書，是因為學校太小，只好先讓有錢人家的孩子讀書，如果這個學校越來越大，沒錢的孩子也能來這裡求學。」

小女生聽了很開心，自己立定志願，一定要讓這間學校越來越大。那一年，她的母親往生了，剩下孤苦伶仃的小女生到處流浪。到了冬天，這位小女生也凍死在學校的外圍。管理員看到了，連忙叫「流浪者之家」把小女生的遺體搬走。

流浪者之家在小女生的身上看到一個小錢包，裡面有五十七美分和一張紙條，上面寫著：「為了讓窮人家的孩子也能來這邊讀書，我忍耐飢餓、忍耐寒冷，就是為籌足錢把學校擴張，希望你們能幫我完成心願。」這消息散播出去，每一個人聽了都深受感動！

一個地產商決定以五十七美分賣出靠近學校附近的土地，完成小女孩的心願。接著，建築師、磚瓦師、木材行，各行各業人士都熱心參與，使學校慢慢擴大了規模，直到現在，這所學校仍保持一個傳統：凡是窮人家的小孩來讀書，一律給予補助；如果他真的沒有錢讀書，則免費讓他就讀。

小女生的犧牲，讓這所學校擴建，也讓許多窮苦的孩子可以讀書求學；小女生無私無我的奉獻，為人們帶來了幸福與安樂。

## 2. 一念慈悲：不忍眾生苦

星雲大師很早就到高雄弘法，建了壽山寺並創辦佛學院，但開辦到第三期，已經容納不下求法若渴的學生。大師決定要找一個地方辦學，好不容易找到現在高雄圓山大飯店的這一塊地，正準備簽約作為建設佛教學院的院址，但一個因緣改變了計畫。

後來聽說高雄大樹有一塊地要賣，就是現在佛光山的所在地。此地為何要賣呢？當時有一對越南華僑褚柏思夫婦，已經買下十一公頃土地，原本想辦一所海事專科學校，但因為財務周轉不靈，付不出工錢，被債務所逼，已經走投無路，打算自殺。

大師基於生命無價、救人要緊的理由，想到這麼一個佛教居士，落難至此，便把辦佛學院的錢先給了他們周轉，他們也就把這一塊地轉讓給大師。其實，當初此塊地長什麼樣子，大師渾然不知，只希望幫助他們夫婦早日度過難關，不要走上絕路。

所以我們可以說，今天佛光山能夠「佛光普照三千界，法水長流五大洲」，就是大師的無私無我、一念慈悲所成就出來的。

### 3. 一念願心：不忍聖教衰

佛光山佛陀紀念館是什麼因緣建設起來？又為何會供奉佛牙舍利呢？

我們都知道，佛陀當初說法，強調眾生平等。因此，大師向來主張比丘、比丘尼也應該地位平等，男眾可以出家受戒，女眾當然也可以。

大師認為，在南傳佛教中，由於比丘尼戒失傳，想要皈投佛門、精進修行的女眾，只能成為領受八關齋戒的學法女。雖然她們只是學法女，但一樣要剃除頭髮，所有行儀

也和出家眾一般，生活嚴肅而有紀律、精進刻苦，只是沒有機會求受比丘尼戒法罷了。因此希望能為南傳佛教國家恢復比丘尼戒法，讓學法女能夠成為真正的比丘尼。

這種平等的主張、慈悲的呼籲，想不到竟然受到大部分南傳長老的支持，長老們也有恢復比丘尼教團的期待。因而大師於一九九八年二月，聯合南傳、北傳、藏傳佛教，首次於印度菩提伽耶傳授「國際三壇大戒」。

此次戒會，有來自二十三個國家地區，包含了南北傳、藏傳一百五十餘位

◆ 佛光山能夠「佛光普照三千界，法水長流五大洲」，是大師的慈悲願力所成就。

戒子乞戒。同時有來自全世界的佛教領袖，如斯里蘭卡的達摩難陀長老、古那拉達長老、達摩羅卡長老、柬埔寨僧王德旺長老、蒙古的堪巴喇嘛，以及西藏的許多法王等大德，都來共襄盛舉。

大師這項壯舉，不但順利恢復南傳比丘尼戒法，同時成就了佛教界的另一樁盛事，那就是西藏喇嘛貢噶多傑仁波切，把他護藏多年的一顆佛牙舍利贈送給大師，希望大師建館供奉，讓正法永存，舍利重光。

因為仁波切得知大師為增進漢藏文化交流，創設中華漢藏文化協會，還成功舉辦「世界顯密佛學會議」、「世界佛教徒友誼會」，乃至創立國際佛光會，促進世界佛教交流等，他十分感動。認為佛光山是弘揚人間佛教的正派道場，覺得大師應該是一個可以託付的人，所以決定把佛牙舍利交託於大師。

一九九八年四月，大師聯合佛教界與社會賢達，組成「佛牙舍利恭迎團」，搭乘專機前往泰國迎請舍利回台灣。恭迎佛牙舍利當天，泰國僧王（His Holiness Somdet Phra Nyanasamvara）對大師說了一段意味深長的話：「這顆佛牙舍利很小，但是需要很大的一塊地來供奉。」因此促成了大師蓋佛陀紀念館的因緣。而大師也不負所託，在二〇一一年十二月二十五日建成了莊嚴、宏偉，並兼具信仰與教化功能的佛陀紀念館。

大師在《百年佛緣．佛陀紀念館建立因緣》一文提到：「其實，佛陀並不需要人們禮拜供養，但是眾生需要藉由禮拜聖賢，啟發善念，淨化心靈，這也是我建設佛陀紀念館的本意。供奉佛陀的真身舍利，並不是要強調舍利的神妙，而是希望讓大家藉由禮拜，將自己的心化為佛心。」

以上是佛陀紀念館建設以及供奉佛牙舍利的因緣。我們從這些敘述可以清楚了知，

◆藉由禮拜佛陀真身舍利，將自己的心化為佛心。

此千載難逢之盛事，乃星雲大師「不忍聖教衰」的一念願心所成就出來的。

另外，大師對復興印度佛教的心願，除了具體促進南傳與藏傳比丘尼法脈的復興，對印度弘法人才的培育也是不遺餘力，例如在印度新德里的德里文教中心成立了「印度沙彌學園」；在佛陀成道的菩提伽耶成立了「佛光山印度佛學院」、「伽耶育幼院」；在佛光山加爾各答禪淨中心設立了「印度佛光加爾各答書院」。

這些具體的教育事業，都為印度佛教的復興開創新紀元，也為世界佛教史寫下不朽的一頁。因此我們要說，星雲大師人間佛教的理念，不是講出來的，是做出來的；大師的發願不是空喊口號來的，是難行能行、難忍能忍實踐出來的。大師這種「不忍聖教衰，不忍眾生苦」，無私無我的悲願、無私無我的奉獻，相信一定是造就眾生幸福安樂的泉源。

最後，我以星雲大師在〈幸福與安樂〉一文所說的一段話作為總結：

幸福安樂，是每個人所渴求，也是全人類所追求的願景。有幸福的人生觀，才有安樂的生活。希望今後我們所有的佛光人，以及有緣的十方大眾，大家都能涵養「知足淡泊」的性格，擁有「慈悲包容」的心胸，學習「提放自如」的灑脫自在，圓滿「無私無執」的人格，共同為人類的幸福與安樂奉獻心力，創造一個現世幸福安樂的「人間佛國」。

◆ 有幸福的人生觀才有安樂的生活

國家圖書館出版品預行編目(CIP)資料

奮起飛揚在人間 / 慧傳法師著.--初版.--
高雄市:佛光文化事業有限公司, 2021.10
冊； 公分
ISBN 978-957-457-593-0(上冊:精裝). --
ISBN 978-957-457-594-7(下冊:精裝). --
ISBN 978-957-457-595-4(全套:精裝)

1.佛教修持 2.生活指導

225.87 110015087

# 奮起飛揚在人間　上冊

作　　者｜慧傳法師

總 編 輯｜滿觀法師
責任編輯｜如道法師
美術設計｜謝耀輝
圖片提供｜慧裴法師、如輝法師、陳碧雲
佛光山寺、佛光山宗史館
人間社、佛光山西來寺
佛光山佛陀紀念館
佛光緣美術館總部
世界佛教美術圖說大辭典

出 版 者｜佛光文化事業有限公司
出版日期｜2021年10月初版一刷
2022年4月六刷
印　　刷｜中茂分色製版印刷事業股份有限公司
經　　銷｜紅螞蟻圖書有限公司
(02)27953656

流 通 處｜
佛光山文化發行部
高雄市大樹區興田路153號
(07)656-1921#6664~6666
佛光山文教廣場
(07)656-1921#6102
佛光山香花迎
(07)656-1921#6690
佛陀紀念館四給塔
高雄市大樹區統嶺路1號
(07)656-1921#4140~4141
佛光山海內外別分院

創 辦 人｜星雲大師
發 行 人｜心培和尚
社　　長｜滿觀法師

法律顧問｜毛英富律師、舒建中律師
登 記 證｜行政院新聞局版台省業字第862號

定價｜350元
ISBN｜978-957-457-593-0（精裝）
978-957-457-595-4（全套：精裝）
書系｜文選叢書
書號｜5422

劃撥帳號｜18889448
戶　　名｜佛光文化事業有限公司
服務專線｜
編輯部 (07)6561921#1163~1168
發行部 (07)6561921#6664~6666

佛光文化悅讀網｜
http://www.fgs.com.tw
佛光文化Facebook｜
http://www.facebook.com/fgsfgce